# PAIS

## ou reféns dos filhos?

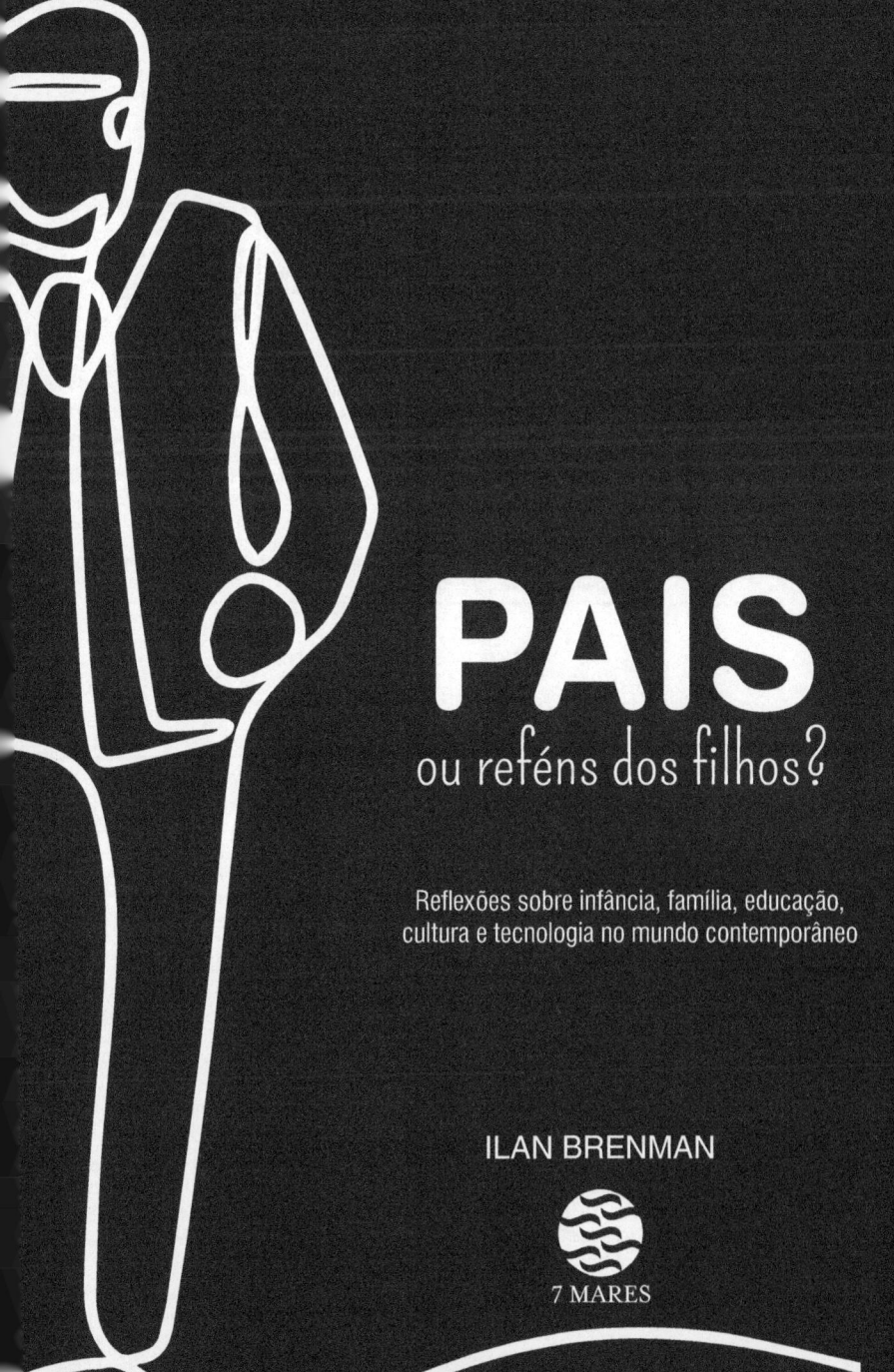

# PAIS
## ou reféns dos filhos?

Reflexões sobre infância, família, educação, cultura e tecnologia no mundo contemporâneo

ILAN BRENMAN

7 MARES

Capa | Fernando Cornacchia
Coordenação | Ana Carolina Freitas
Copidesque | Mônica Saddy Martins
Diagramação | Fabiana Marcon
Revisão | Anna Carolina G. de Souza

**A maioria dos textos que compõem esta obra foi publicada anteriormente na coluna do autor "Palavrórios e rabugices", da revista *Crescer*, e em outros meios de comunicação.**

**Dados Internacionais de Catalogação na Publicação (CIP) (Câmara Brasileira do Livro, SP, Brasil)**

Brenman, Ilan
Pais ou reféns dos filhos? : reflexões sobre infância, família, educação, cultura e tecnologia no mundo contemporâneo / Ilan Brenman. -- 1. ed. -- Campinas, SP : Papirus 7 Mares, 2021.

ISBN 978-65-5592-014-7

1. Cultura 2. Educação 3. Paternidade 4. Pais e filhos 5. Relacionamento familiar 6. Tecnologia I. Título.

21-68090 CDD-649.1

**Índices para catálogo sistemático:**

1. Pais e filhos : Convívio : Educação familiar 649.1

Aline Graziele Benitez - Bibliotecária - CRB-1/3129

**1ª Edição – 2021**
**1ª Reimpressão – 2023**
**Livro impresso sob demanda – 200 exemplares**


A grafia deste livro está atualizada segundo o Acordo Ortográfico da Língua Portuguesa adotado no Brasil a partir de 2009.


R. Barata Ribeiro, 79, sala 316 – CEP 13023-030 – Vila Itapura
Fone: (19) 3790-1300 – Campinas – São Paulo – Brasil
E-mail: editora@papirus.com.br – www.papirus.com.br

# Sumário

## 3. Educação



## 4. Cultura

## 5. Tecnologia

# PAIS
## ou reféns dos filhos?

- Precisamos ouvir nossos filhos, não lhes obedecer.
- Precisamos amá-los, não os sufocar.
- Precisamos educá-los, não fazer deles executivos aos cinco anos de idade.
- Precisamos alimentá-los, não os encorajar a contar calorias.
- Precisamos vesti-los, não os tornar *outdoors* ambulantes.
- Precisamos fotografá-los, não os transformar em celebridades.
- Precisamos atualizá-los com as novas tecnologias, não criar zumbis virtuais.
- Precisamos protegê-los, não os defender da realidade.
- Precisamos presenteá-los, não dar a eles suas próprias e desinteressantes lojas de brinquedos.
- Precisamos diverti-los, não os converter em hedonistas, indivíduos que priorizam o prazer como centro da vida.
- Precisamos motivá-los a se exercitar, não fomentar a obsessão com o corpo.

- Precisamos cultivá-los, não os abandonar na frente de ídolos de pés de barro.
- Precisamos respeitá-los, não os temer.
- Precisamos elogiá-los, não os mimar (embora de vez em quando seja bom).
- Precisamos corrigi-los, não os humilhar.
- Precisamos encorajá-los, não fazer deles inconsequentes (tarefa difícil, principalmente na adolescência).
- Precisamos sensibilizá-los para o visível e o invisível, não os mercantilizar.
- Precisamos socializá-los, não permitir que se tornem algoritmos de redes virtuais.

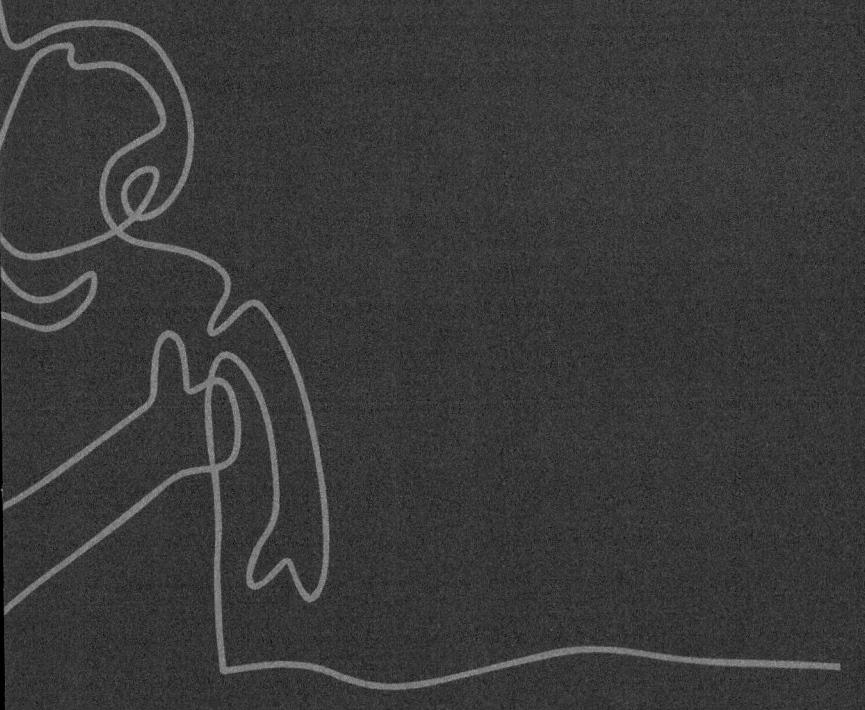

# PREFÁCIO

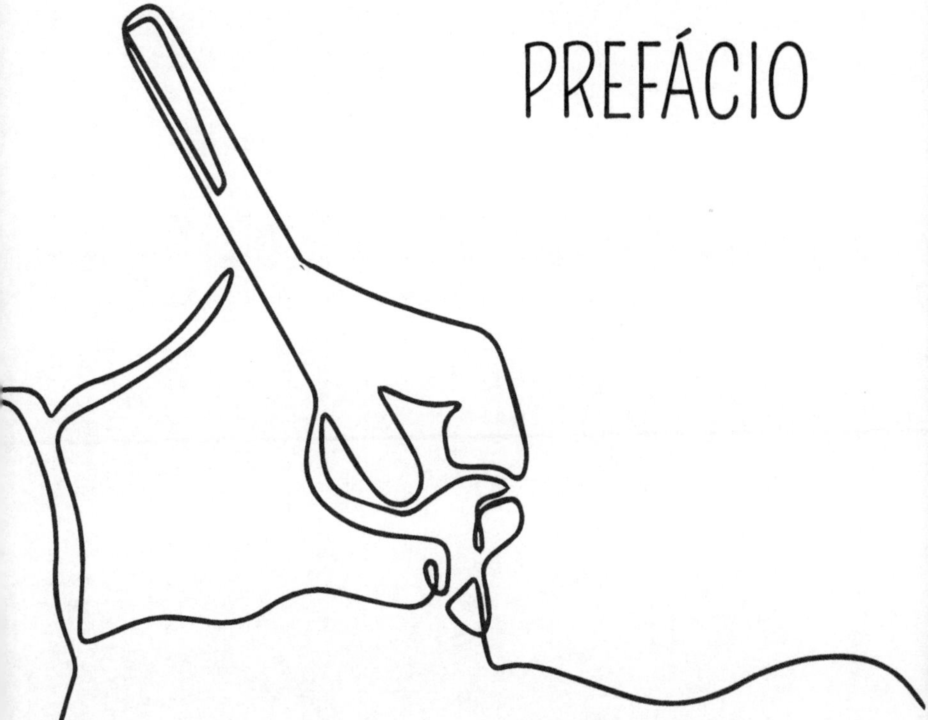

Você daria a mesma educação que recebeu de seus pais para seus filhos? Sim ou não? Talvez a resposta não seja simplesmente sim ou não, mas sim *e* não! Vou explicar.

Sim, é claro que daria a mesma educação. Afinal, nossos pais, mesmo sendo seres humanos, e por isso imperfeitos, nos transmitiram valores e desenvolveram nossas primeiras habilidades cognitivas e emocionais. Eles nos educaram, mas, acima de tudo, nos amaram. Então, devemos manter a transmissão de certos valores como respeito, retidão, disciplina, coragem e perseverança, tão essenciais em nossa vida.

Não, é claro que não daria a mesma educação. Sendo seres humanos, nossos pais cometeram erros. Ficar julgando-os ou culpando-os não resolverá, e por isso o ideal é aprendermos com suas falhas sobre o que não fazer e agir diferente. Além disso, a sociedade evoluiu e a tecnologia também. Desse modo, amar e educar filhos é, em grande parte, evoluir com eles, interessar-se pelo que os cerca, apoiá-los em suas escolhas.

Muitas das queixas mais comuns sobre o passado com os pais, no entanto, advêm da falta de diálogo de antes. Por isso, além de adaptarmos parte da educação para o tempo em que vivemos hoje, devemos, sobretudo, trazer a conversa para o centro da relação. Afinal, o antigo "manda quem pode, obedece quem tem juízo" não serve mais nem para o trabalho, muito menos para a família.

Sabemos que crianças da geração do "muito dever e poucos direitos" em geral não tiveram tanto espaço para fala, e por essa razão enfrentaram muitos obstáculos em seu desenvolvimento. Por isso, deve haver uma escuta real. É claro que ouvir os filhos não significa de modo algum fazer tudo o que eles querem e desejam. Deve haver escuta com empatia sobre as necessidades dos filhos, mas depois os pais devem analisar e decidir sobre como agir. E, embora crianças pequenas possam não saber formar opinião e se manifestar de forma clara, elas são capazes de expressar bem suas necessidades, e somente pais que escutam poderão aprender a decifrá-las e levá-las em consideração na hora de tomar decisões.

Devemos ainda levar em conta que os hábitos, os costumes e a visão de mundo que os pais tiveram na infância são muito diferentes dos de hoje. Além disso, a personalidade do filho, da filha ou dos filhos provavelmente não é a mesma que a deles, e por isso moderação no diálogo é a chave para uma vida plena. Jamais devemos esquecer, todavia, que mesmo uma criança inteligente, brilhante e criativa continua sendo criança, e como tal precisa de referências, pois testará seus limites. Ela deve sentir que pode tomar decisões, mas os pais devem explicar objetivamente as consequências de cada uma delas.

Lembre-se de que estabilidade é algo essencial na educação de filhos, e é claro que você tem direito de surtar vez ou outra. No entanto, recompensar uma criança por uma boa ação só fará sentido se ela também for punida por uma má ação. Portanto, certifique-se de saber o que você é capaz de fazer antes de começar a agir. Sem critérios, os pais, e consequentemente os filhos, se perderão.

Outro aspecto importante é não achar que nossa própria infância é um modelo perfeito a ser seguido. Não é porque você viveu tempos difíceis, com comida escassa e pouca roupas, que seus filhos precisam passar por privações para aprender. Não foram as privações que tornaram você mais forte. Você se tornou mais forte *apesar* delas. Privar os filhos não é o caminho para compensar-se de sua infância pobre. E nem o contrário. Encher as crianças de brinquedos e satisfazer todos os seus caprichos é comprometer profundamente o desenvolvimento delas.

Como você pode perceber, educar não é fácil, e mais uma vez equilíbrio é essencial. De qualquer forma, não se preocupe com suas falhas, pois ninguém espera perfeição de você. O importante é dar seu melhor e não deixar seus filhos sentindo que estão sós, à deriva, sem norte, sem bússola.

Sobre fazer o mesmo que os nossos pais fizeram ou não, lembremos que educar é incutir valores, construir uma história juntos. No entanto, se seus pais o educaram bem, nada o impede de repetir muitos desses padrões em sua forma própria de educar. Se você recebeu lições de respeito, retidão, coragem, perseverança, valores tão essenciais para uma vida madura e mais equilibrada, por que não legar também a seus filhos essa herança?

Este livro do meu querido amigo Ilan Breman é um convite ao equilíbrio e ao fim de uma luta entre o ontem e o hoje. Propõe a busca de uma síntese entre nosso passado e nosso presente, para a construção de um futuro melhor para nossos filhos, educando-os com aqueles valores que nos foram positivos, mas deixando para trás padrões disfuncionais de educação. Ressalto em especial um, que pode ser potencialmente muito prejudicial para uma pessoa: projetar nossas frustrações nos filhos e querer que eles realizem o que não conseguimos. Filhos não vierem ao mundo para ser substitutos dos pais. Nunca devemos nos esquecer de que cada criança, cada filho, é um ser humano único, especial, e por isso tem imenso valor em si sendo quem é.

*Rossandro Klinjey*

Psicólogo, escritor e palestrante, especialista em educação e desenvolvimento humano. É consultor do programa *Encontro com Fátima Bernardes*, na TV Globo, além de colunista de jornais e da rádio CBN.

# PARA
## minhas flores

Tentem acordar sempre de bom humor, o dia é longo.

Quando puderem, durmam até mais tarde, porque ninguém é de ferro.

Andar descalço é uma delícia.

Quando puderem, por favor, coloquem meias.

Não deixem de olhar o mundo através do coração, mesmo que algumas vezes ele fique despedaçado.

Quando puderem, sempre procurem o mar e o campo; lá o coração pode ser colado.

Desconfiem daqueles que não acreditam no ser humano, mesmo que às vezes vocês mesmas duvidem.

Quando puderem, sempre procurem museus, teatros, livrarias, espetáculos de dança; lá a desconfiança evaporará.

A comida não é inimiga de vocês, cuidar-se é importante, mas sem exageros.

Quando puderem, experimentem comidas novas, deliciem-se com doces maravilhosos, comam acompanhadas de pessoas queridas. O melhor restaurante do mundo é aquele em que estamos rodeados de amigos.

Por mais que os outros falem algo ao contrário, posso garantir: vocês são lindas por fora e por dentro.

Quando puderem, e espero que possam, ajudem aqueles que precisam de ajuda.

Os meninos ficarão encantados com vocês, mas não esqueçam que as meninas é que mandam.

Quando puderem, e espero que não muito, finjam que os meninos é que mandam. Eles adoram essa ilusão.

O conhecimento é uma das ferramentas mais importantes da vida de vocês. Nunca deixem de estudar.

Quando puderem, relaxem dos estudos, um pouco de alienação não faz mal a ninguém.

Olhem para seus pais e pensem que um dia vocês também o serão.

Quando puderem, liguem. Para nós, vocês sempre serão nossas pequenas princesas.

Amizades vão e vêm, irmandade é para sempre. Cultivem a amizade entre vocês.

Quando puderem, reservem um tempo só para conversarem e conviverem. Não deixem outras pessoas interferirem no amor de vocês.

Nada é melhor do que uma boa noite de sono.

Quando puderem, e se valer a pena, passem a noite em claro, divirtam-se.

Escolham profissões nas quais a sexta-feira não seja o dia mais importante da semana.

Quando puderem, parem e reflitam sobre o trabalho que escolheram, sempre há tempo para mudanças de rota.

Vocês buscarão a felicidade a milhares de quilômetros de distância, viajarão obsessivamente atrás dela e encherão baldes de lágrimas por não a encontrarem.

Quando puderem, olhem para o lado e para dentro, talvez a felicidade esteja mais perto do que longe, mas a busca incessante que farão para encontrá-la não será um desperdício, será a própria vida.

Com amor,

*Papai*

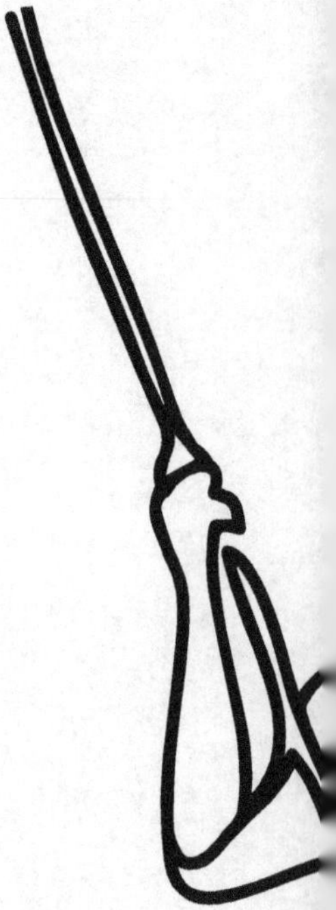

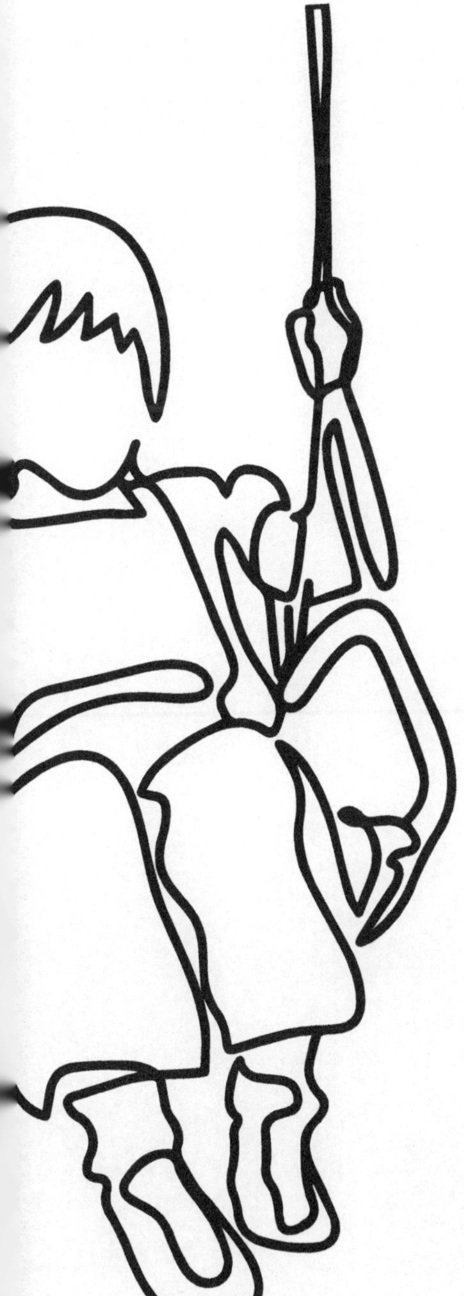

# INFÂNCIA

# O concreto e a infância

Vi um documentário que contava que os antigos romanos foram pioneiros no uso do concreto em grandes e pequenas construções. Com técnica apurada e engenhosidade ímpar, levantaram obras que estão de pé até hoje, depois de mais de dois mil anos. O curioso é que, com a queda do Império Romano, o conhecimento e o uso do concreto praticamente desapareceram da Europa, para ressurgir depois de 1.500 anos como descoberta revolucionária.

Muitas invenções humanas ficaram adormecidas em determinadas épocas, porque o mundo não estava preparado para elas. Um dos grandes inventores da humanidade, Heron de Alexandria, que viveu há mais de dois mil anos, apresentou ao governante de sua cidade uma máquina movida a vapor! Ela poderia substituir o trabalho braçal em algumas atividades. O rei ficou estupefato com a invenção, mas teria dito ao inventor para se esquecer da geringonça. Indagado sobre o motivo, teria respondido: "E o que faremos com tantos escravos?". Assim como o concreto, tal tecnologia ficou esquecida por muitos séculos.

Pensando sobre essa circularidade da história, lembrei-me de que não somente invenções materiais dos antigos foram relegadas ao esquecimento até serem, finalmente, consolidadas na contemporaneidade. Esse processo também aconteceu com invenções imateriais: ideias, conceitos, visões de mundo e do ser humano. O mais clássico desses processos foi o Renascimento. Por séculos, a visão de mundo greco-romana ficou esquecida, até que a sociedade estivesse pronta para acordar e usufruir dela.

Porém o que me interessa aqui é falar de uma das invenções mais revolucionárias e importantes para a humanidade: a infância. Sim, ela foi criada, não nasceu pronta. Crianças sempre existiram na nossa história, mas infância é coisa de 500 anos para cá. Antes de sua invenção, as crianças eram tratadas como seres inferiores, não tinham voz ativa e nenhum direito. Trabalhavam com e como os adultos, vestiam-se como eles, comiam os mesmos alimentos, compartilhavam de suas brincadeiras e intimidades.

Quando o conceito de infância foi criado no Ocidente, já com certa recuperação de um olhar mais atento a essa fase pelos antigos gregos, a criança começou a ganhar outro *status*, que a diferenciava do adulto. Nesse momento, surgiu uma medicina para crianças, vestimentas feitas exclusivamente para elas, brinquedos educativos, assim como uma literatura destinada principalmente ao mundo infantil. A educação, a alfabetização, o aprendizado se tornaram o centro da vida familiar.

No entanto, assim como o concreto romano, o conceito de infância atualmente corre o perigo de cair no esquecimento. Novamente, vemos um movimento de indiferenciação entre crianças e adultos. Ambos compartilham os mesmos conteúdos audiovisuais, consumem, falam e se vestem de forma parecida. Precisamos urgentemente resgatar esta que foi a maior de todas as invenções humanas: a infância.

# Brincar

Sempre que falamos sobre o brincar, vem à cabeça o mundo infantil, mas, depois de acompanhar a Copa do Mundo no Brasil, posso afirmar que o brincar faz parte da vida inteira do ser humano. Nossas expressões e reações durante uma partida de futebol se parecem muito com o comportamento infantil perante os jogos. E aqui não há um desmerecimento ou rebaixamento do adulto, pelo contrário, acredito na importância do mundo lúdico na vida de crianças e adultos. Brincar é viver!

No mundo infantil, a brincadeira é de uma seriedade ímpar. Crianças que não brincam podem ficar doentes e comprometidas em muitos aspectos psíquicos. Em 1995, eu terminava o curso de Psicologia e resolvi fazer meu trabalho de conclusão sobre o mundo do brincar na antiga Febem (atual Fundação Casa). Para minha surpresa, não havia brinquedos na instituição, que abrigava centenas de crianças de zero a 12 anos. Porém, como sempre digo, elas são mais inteligentes do que imaginamos e buscam incessantemente uma forma de brincar. Quando percebi a falta de brinquedos, rapidamente me deparei com outros, construídos por elas, que aproveitavam tudo, tudo mesmo, que estava à sua volta.

O primeiro menino que vi na Febem, com cerca de cinco anos, estava correndo no pátio de carros com uma linha de costura e uma pipa feita de papel de caderno – a pipa caseira voava alto, ultrapassava em muito os muros daquela triste instituição. O sorriso daquele garoto nunca me saiu da cabeça. O prazer transbordava no seu rosto. Na época, escrevi: "Naqueles momentos que se seguiram, a sensação que me deu foi de que, com aquela brincadeira, essa criança conseguia ultrapassar os limites físicos e imaginários daquela instituição. Esse jogo parecia representar o voo que, poderíamos pensar, possibilitava a ele ter esperança sem relação com seu presente e futuro, já que se permitia mentalmente voar com a pipa, controlando o direcionamento e a altura do seu brinquedo. Ele era, naquele instante, o dono do seu destino".

Fui descobrindo naquele espaço de abandono que as crianças usavam muitos brinquedos feitos com fios e objetos largados. Fiquei fascinado com algumas geringonças que fabricavam com linhas de costura, como quem diz: "Estamos tentando costurar nossa alma rasgada pelo abandono". Brincar consola, repara, faz esquecer e lembrar ao mesmo tempo, vincula com os outros e com a vida.

Nós, adultos, não abandonamos o mundo do brincar, apenas o esquecemos temporariamente e, diversas vezes, voltamos a ele com saudosismo. A Copa do Mundo foi um desses momentos, em que crianças e adultos se encontraram em um mesmo campo da ludicidade. Enquanto o jogo rola, não há coisa mais importante do que fazer parte dessa evasão da vida real. Quando ele termina, voltamos à vida corrente, mais felizes (dependendo do resultado), mais fortalecidos e experientes para a próxima partida.

Como disse Johan Huizinga (1872-1945), escritor de um dos mais importantes livros sobre essa temática – *Homo ludens* –, o brincar

> (...) ornamenta a vida, ampliando-a, e nessa medida torna-se uma necessidade tanto para o indivíduo, como função vital, quanto para a sociedade, devido ao sentido que encerra, à sua significação, a seu valor expressivo, a suas associações espirituais e sociais, em resumo, como função cultural.

# Quero ser grande

Um dos filmes marcantes da minha infância foi *Quero ser grande*, estrelado por Tom Hanks que, na época, era um ator jovem. O filme conta a história de um menino comum, que brincava, estudava, cujos pais, "na visão dele", o "pentelhavam" com cobranças. Certo dia, o menino vai a um parque de diversões, encontra uma máquina de realizar desejos e pede para ser grande. Na manhã seguinte, acorda no corpo de um homem e começa sua aventura pela cidade, onde vive a contradição de uma alma infantil em um corpo adulto. Não se preocupe, não contarei o filme inteiro.

O que me levou a lembrar desse filme? Foi a sensação mais e mais premente de que a sociedade já não quer crescer. Vejo cada vez mais adultos acima dos 30 anos que buscam incessantemente saciar seus desejos o mais rapidamente possível, num movimento que Freud chamou de "princípio do prazer", uma característica da mente infantil.

Nessa infantilização do mundo adulto, filhos e pais se confundem, usam roupas parecidas, falam de forma semelhante... Freud dizia que as exigências de amor da criança são limitadas, demandam exclusividade e não admitem compartilhamento. Conhece algum adulto assim? A maturidade exige certo grau de renúncia e responsabilidade pelos próprios atos e escolhas. Uma sociedade infantilizada é uma sociedade vulnerável, manipulável, que não toma para si a responsabilidade pelo crescimento da comunidade, sempre jogando para o "pai" e a "mãe" a culpa de tudo.

A infância sempre brincou de ser grande – as meninas colocam sapatos e vestidos da mãe, os meninos, gravatas e ternos do pai. Estão encenando a vida adulta. Brincar de ser grande é uma preparação para o futuro. Isso é muito diferente de ser grande de verdade, sair na rua com saltos enormes (meninas de quatro, cinco, seis anos!), maquiadas de forma exagerada.

*Adultizamos* a infância. A preocupação com o futuro profissional de bebês de seis meses é uma triste realidade. Montamos agendas extenuantes para as crianças, demandamos "profissionalismo" nos estudos, nos esportes e até no lazer. Quando algo dá errado no esquema, quando elas reagem, buscando sua infância, medicalizamos seu comportamento.

Talvez aí esteja uma das hipóteses da infantilização dos adultos – na sua própria infância, não houve espaço para realizar os desejos mais básicos e, agora, haveria a busca pelo tempo perdido. É fundamental mostrar a nossos filhos o que é ser adulto, com seus sacrifícios e vantagens, para o amadurecimento deles e da nossa sociedade.

Quero encerrar relatando uma conversa que ouvi das minhas filhas, depois de uma bronca: "Adultos podem tudo e a gente não! Eles são sortudos! Quando querem sair para ir a um *show*, vão e deixam a gente com a vovó. Eu queria ser a mãe deles para mandar neles!". A criança tem de desejar ser adulta, mas não sê-lo. O adulto pode até desejar ser criança ou jovem, mas não é. Essa diferenciação é fundamental para o crescimento da criança e de sua família.

# Vidas etiquetadas

Lembro que meu interesse em possuir marcas estampadas nas roupas começou depois dos 12, 13 anos. Naquela época, não havia a abundância atual de etiquetas cobiçadas. Eu queria o sapato London Fog, que custava uma fortuna. Meus pais não tinham dinheiro, então minha mãe descobriu uma loja bem longe de casa que vendia um genérico. Pegamos ônibus, metrô e compramos um par. Fiquei feliz da vida.

A minha felicidade estava em um sentimento de pertencimento. Eu fazia parte dos garotos que tinham aquele sapato. Tínhamos algo em comum, fazíamos parte de uma tribo bem calçada. Isso aconteceu mais algumas poucas vezes na minha pré-adolescência e adolescência. Queria a calça da 775, a mochila da Company, a camiseta da M. Officer...

Num momento de construção de identidade, essas marcas davam a sensação de inclusão comunitária, de pertencer a um grupo que hipoteticamente tinha os mesmos interesses, ideais, que protegia uns aos outros, uma gangue etiquetada. Naquela época, o processo de virarmos *outdoors* ambulantes era ainda muito lento e não provocava tantos conflitos familiares e sociais como agora.

Com o tempo, fui refletindo sobre essa maneira de lidar com o *status* da etiqueta. Comecei a perceber o mecanismo perverso que queria nos fazer acreditar que, ao possuir determinada etiqueta em nosso corpo, éramos mais felizes, estávamos inseridos num mundo de vencedores, no qual seríamos mais respeitados pelos outros.

Ao ter minhas filhas, comecei a ficar alarmado com a precocidade da busca pela etiquetagem do corpo e da alma. Via crianças pequenas surtando com os pais para que comprassem as marcas desejadas. O desejo sempre mais voraz por essas etiquetas é uma das razões primeiras da violência urbana, cada vez mais presente em nossas vidas. Os ladrões querem possuir as mesmas etiquetas que possuímos. Eles roubam marcas, não o objeto em si. Se for preciso matar para se etiquetar, alguns assim farão.

O mais louco de tudo isso é que acabamos entrando em outra roda perversa. Famílias e mais famílias se tornaram postes humanos de publicidade não remunerada, bem diferentes dos jogadores esportivos, artistas etc., que ganham fortunas para estampar seus patrocinadores. Nós fazemos isso de graça! Aliás, pagamos ao fabricante para sermos seus garotos e garotas-propaganda.

No mundo dos jovens, isso faz mais sentido. O adolescente sempre buscou algum jeito de fazer parte de grupos: penteados diferentes, jaquetas de couro, óculos, tatuagens, brincos... Nas últimas décadas, etiquetas. Porém, quando isso desaba na infância, é preocupante. As crianças não deveriam se importar com isso. É aqui exatamente que nossa responsabilidade como pais compradores de marcas deveria ser acionada. Seria importante parar e pensar antes de etiquetarmos nossos pequenos filhos.

# Contrafluxo

Eu estava fazendo minha caminhada diária. Era véspera de feriado. Ouvia uma estação de rádio falando do caos instaurado nas estradas, dos recordes de congestionamento. Lembrei-me das inúmeras vezes em que fiquei horas e horas trancado no carro, sem sair do lugar, a praia lotada... melhor nem falar. Por causa disso, já há alguns anos, tomamos a decisão, eu e minha esposa, de sempre viajar no contrafluxo. Viajamos bastante, mas não nesses momentos em que o masoquismo é nosso companheiro.

Tal reflexão me fez observar que ir no contrafluxo pode ser uma forma de lidar com a vida, e não é fácil bancar esse movimento. A pressão da corrente é para nadarmos junto com todos – entretanto, consigo extrair muito mais sentido para minha existência quando sigo, às vezes, no contrafluxo.

Comecei a enumerar esses movimentos contra a corrente e tento segui-los com esforço e coragem. Às vezes, consigo, mas sempre paro muito, mas muito mesmo, para refletir sobre eles:

- Vejo muitas crianças com celulares caros, cada vez mais hipnotizadas e alienadas do seu entorno. *Contrafluxo:* segurar ao máximo a entrega desses aparelhos para os pimpolhos. A mente infantil precisa do contato humano para se desenvolver com mais saúde; as crianças constroem jogos mentais muito mais interessantes do que o viciante (já joguei várias vezes) *Angry birds*.
- Nunca houve tanta pressão em cima da vida acadêmica de nossos filhos. O sucesso deles é a meta buscada por milhões de pais. Sim, queremos que sejam felizes, porém o método escolhido traz graves repercussões psicológicas. *Contrafluxo:* entender que brincar é tão importante quanto estudar e que, principalmente

crianças pequenas, precisam de espaços que proporcionem socialização e contato com diversas manifestações artísticas.

- Vivemos num mundo de abundância, nunca foi tão fácil comprar objetos de consumo infantil. *Contrafluxo:* lembrar sempre da frase do filósofo Sócrates ao ver tantos produtos no mercado de Atenas: "Olhem quanta coisa existe no mundo que eu não preciso para ser feliz". É claro que podemos presentear nossos filhos, mas deixá-los completamente saciados é criar uma infância insaciável.
- A abundância também está nos deslocamentos humanos; nunca se viajou tanto no mundo. *Contrafluxo:* é maravilhoso poder levar nossos filhos a parques temáticos que antes pareciam um sonho distante, mas é também muito bom proporcionar passeios na natureza, e viagens culturais são fundamentais.
- Eu, que tenho duas meninas, percebo como a questão da beleza estética toma cada vez mais conta das crianças pequenas. Festas de aniversário em salões de beleza, *spas* infantis, depilação precoce... *Contrafluxo:* o momento da não preocupação exagerada com a estética é o da infância. Só nesse período elas poderão ficar com as unhas sujas de terra, correr sem medo de cair por causa do salto, deixar o cabelo despenteado e rir disso. Nada contra ficar bonita, mas deixem para a hora certa. A beleza está no pleno aproveitamento da infância.

# O que te deixa feliz?

O filósofo grego Epicuro (341 a.C.-270 a.C.) é, para mim, um dos mais interessantes pensadores da Grécia Antiga. No seu famoso jardim, debatia com alunos e mestres sobre o sentido da vida e começou a descobrir o que era e o que não era essencial para a felicidade humana.

Ele dividiu nossas necessidades em três categorias: 1) desejo natural e necessário (amigos, liberdade, reflexão, casa, comida e roupa); 2) natural, mas desnecessário para a felicidade (mansão, sauna privada, banquete, empregados, peixe e carne); 3) nem natural nem necessário para alcançar a felicidade (fama e poder). Depois de reler Epicuro pela enésima vez, fiquei com vontade de perguntar para minhas filhas o que as deixava felizes e, depois da resposta, fiquei com mais vontade ainda de perguntar a mesma coisa para as crianças que encontro por todos os cantos do Brasil.

As respostas coletadas você pode ler a seguir, na lista que elaborei. Termino com uma frase do filósofo retirada de sua *Carta sobre a felicidade* (a Meneceu): "Tudo o que é natural é fácil de conseguir; difícil é tudo o que é inútil".

**1.** Brincar com amigos.

**2.** Dormir.

**3.** Comer.

**4.** Jogar futebol.

**5.** Piscina.

**6.** Ficar com as primas.

7. Gato.

8. Coisas quentinhas.

9. Ver as pessoas felizes.

10. Ficar com a família.

11. Almoçar com a mamãe.

12. Natal.

13. Fazer piada.

14. Zoológico.

15. Assistir à TV juntinho com a mamãe e o papai.

16. Coelho.

17. Presente de aniversário.

18. O Cauã me deixa feliz.

19. Deixar minha mãe feliz me deixa feliz.

20. Passear na represa.

21. Ter um cachorro.

22. Palhaço.

23. Fazer careta.

24. Escola.

25. Ir para a praia.

26. Papai me deixa feliz.

# Pai, olha a vaca!

Há uns bons anos, minha filha estava dentro de um carrinho de supermercado e passeávamos pelos corredores do estabelecimento. Ela, com quase dois anos, não parava de apontar e falar sobre tudo o que via. Eu só pensava em tudo o que tinha de comprar. Quando chegamos na parte das carnes, Lis, esse é o nome da minha filha, disse: "Pai, olha a vaca!".

Fiquei uns dois minutos procurando a tal vaca, olhei para as picanhas, maminhas, lagartos etc. Pensei na hora: "Será que alguém ensinou à Lis que a vaca vira carne?". Isso seria muito avançado para idade dela, se bem que todo pai ou mãe acha que seu rebento é a reencarnação de Einstein. Outro dia, uma mãe me disse: "Ilan, você não sabe, minha filha já fala papai". Perguntei: "Quantos anos ela tem?". A mãe ergueu a cabeça e respondeu: "Ela acabou de fazer quatro meses". Já imaginei essa menina com dois anos fazendo discurso de abertura nas Nações Unidas.

Voltemos à vaca. Fiquei encafifado com o comentário da Lis. Curioso que sou da infância, perguntei: "Filhota, cadê a vaca?". Ela sorriu e apontou para cima. Eu não podia acreditar: em cima da vitrine das carnes, havia uma vaca imensa de papel machê. Na hora em que vi a vaca, puxei um funcionário do local e perguntei: "Há quanto tempo essa vaca está aí?". Ele me olhou com cara de "de onde saiu esse louco", mas respondeu: "Há muitos anos, desde que abriu o supermercado".

Fiquei uns bons cinco minutos olhando a vaca com a Lis no colo. Eu frequentava, e ainda frequento, esse mesmo estabelecimento há muitos anos e *nunca tinha visto a famigerada vaca*! Perguntei a outros adultos próximos a mim, vizinhos e familiares que também conheciam o local se haviam reparado na vaca. Todos disseram que não.

Tal experiência provocou em mim uma reflexão profunda sobre a infância e a educação. Como uma criança que não havia feito dois anos ainda conseguia enxergar algo tão grande como aquilo e nós, adultos, competentes, preparados, estudados, maduros, éramos completamente cegos a uma imagem tão grande e próxima aos nossos olhos.

Olhando para as crianças ao meu redor, que são muitas – filhas, sim, agora já tenho uma outra sapeca, a Iris; sobrinhas e centenas de milhares de crianças que observo e com quem converso durante meus encontros como autor de livros infantis –, cheguei à constatação de que nascemos com uma elasticidade mental e corporal extraordinária.

O corpo das crianças pequenas parece borracha. Elas conseguem chupar o dedão do pé com uma facilidade atroz. Já tentou chupar o dedão do pé? Por favor, cuidado, você pode parar num pronto-socorro, tamanha a contorção necessária. Elas abrem espacate com muita facilidade, rodam, pulam etc. A mente delas também tem essa flexibilidade. Enxergam 360º a sua volta. A Lis viu a vaca, eu vi a picanha. Ao mesmo tempo, enxergam o pequeno, o mínimo detalhe, aquele pontinho quase microscópico na parede, aquele pedaço milimétrico de rúcula no prato delas, e aí dizem: "Olha esse verde aqui no meu prato, não vou comer". Com uma lupa na mão, conseguimos enxergar a hortaliça intrusa e palmeirense.

A criança pequena é uma potência de vida. Sua plasticidade faz com que a linguagem que aprende se torne ferramenta para ficcionar. Ela enxerga na escuridão, vê o coração da vaca pulsando, consegue descobrir o nome do animal, saber o local do seu nascimento e se é casada com o senhor boi.

Todos que pararem um pouco de correr e observarem um parquinho infantil chegarão à mesma conclusão. Depois de observar a criançada, olhe para si mesmo – foi o que fiz logo depois da experiência da vaca.

Comecemos pelo corpo: travado, duro, encurvado, dolorido etc. Em que momento isso aconteceu? O que fizemos, ou melhor o que fizeram do nosso corpo?

A mente: travada, dura, encurvada. Nosso pensamento só vê maminhas. Muito adultos falam da dificuldade de ser criativo. Na minha trajetória profissional, já passaram milhares de adultos em cursos e palestras: educadores, executivos, profissionais liberais, donas de casa, estudantes universitários, a maioria absoluta explicitava uma dificuldade imensa na área criativa. Em que momento, novamente, isso aconteceu? O que fizemos, ou melhor, o que fizeram da nossa mente?

Como crianças que sonhavam acordadas e tinham habilidades extraordinárias em vários aspectos humanos – dança, pintura, teatro, brincadeiras, invenção de histórias, construção de castelos e engenhocas etc. – se transformaram nisso que somos? Como perdemos a nossa elasticidade mental e física?

Ironia da vida, a resposta está na educação que instituímos para nossas crianças. Fazemos o grande favor (não intencional) de atrofiar essas qualidades tão fenomenais que as crianças manifestam. A escola pós-revolução industrial se tornou uma fábrica de produção em série. Dali, têm de sair profissionais para abastecer o mercado de trabalho.

Matemática é mais importante que pintura? Gramática é mais importante que teatro? Biologia é mais importante que música? Quando resolvemos responder que sim, começamos a desencadear um processo lento e doloroso de atrofia corporal e mental.

A maior ironia de todas é que, no mundo atual, quando a criança se torna jovem e vai para o mercado de trabalho, do outro lado há um recrutador que procura um profissional flexível, elástico, criativo, não conformista, desinibido etc. É rir para não chorar.

# Ingenuidade

Há muitos anos, descobri que o mundo é complexo, palavra que vem do latim e que significa "tecido com diversas dobras", diferente de "simples", que significa tecido com uma dobra só. A realidade é composta de diversos olhares, que estão posicionados em muitos lugares. Faço tal introdução para contar que estive com minhas filhas em Israel e elas não falam nenhuma palavra em hebraico. Uma experiência intensa e interessante para todos. As meninas me surpreendiam a todo momento, interagindo com crianças que não falavam português.

A experiência multicultural se ampliou num almoço no qual todos os funcionários do restaurante eram surdos. Havia uma monitora de crianças também surda, que começou a brincar de jogos de tabuleiro com minhas filhas – emoção pura! A monitora ensinou a língua de sinais hebraica para elas. Fiquei pasmado! Elas brincaram e se divertiram, pareciam compreender tudo. Num dado momento, as duas colocaram vendas nos olhos para vivenciar como é jogar sem enxergar.

A relação das crianças com o diferente é temerosa no início, uma desconfiança do não familiar, mas elas encontram elementos em comum que as unem.

Na mesma viagem, fizemos outro passeio muito diferente, no qual dezenas de pessoas caminhavam dentro de um rio, algumas com mochila nas costas. No fim da caminhada, havia um espaço para descansar e comer. Ali, uma família árabe (para aqueles que só olham a realidade nos jornais e na televisão, existem árabes morando e convivendo pacificamente com os israelenses) comia e tocava *derbak*, instrumento de percussão comum no Oriente Médio. Um menino de aproximadamente nove anos tocava o instrumento, enquanto uma menina de dez dançava. A melodia era deliciosa, e minha filha mais velha ficou hipnotizada, assim como eu. Percebi que as mãos dela, que ama dançar, começaram a se mexer timidamente. Ela estava morrendo de vontade de começar a dançar com a garota. Elas tinham algo em comum, o amor pela dança.

Como disse no início, tenho consciência de que somos seres muito confusos, que criamos sociedades à nossa imagem e semelhança, mas, observando as crianças, volto a ter minhas recaídas românticas e ingênuas, é mais forte do que minha razão ranzinza. Elas, as crianças, conseguem construir pontes e atravessá-las. Acontecem quedas, retrocessos, sim! Mas elas atravessam! Não fabricam muros intransponíveis, arames farpados e eletrificados. É claro, às vezes, vemos a produção de choques, mas é algo passageiro e logo tornamos a observar a caminhada de um lado para o outro da ponte.

Nós, adultos, que nos gabamos de nossa superioridade moral e intelectual, sem perceber, ou percebendo e incentivando, oferecemos e, às vezes, ordenamos que as crianças peguem picaretas e comecem, pouco a pouco, a destruir tais pontes. O horror dessa constatação é tamanho que, muitas vezes, não nos basta "ensinar" a demolição do construído; aproveitando a picareta na mão, por que não ensinar também a "picaretar" a cabeça do outro?

Ingenuidade ou não, quero acreditar que podemos, através da educação – única forma possível de manter as crianças construtoras de infinitas pontes –, provocar uma profunda mudança num mundo repleto de dobras.

# FRASES
## e adendos

Há quase duas décadas venho colecionando citações de autores, dos mais variados campos do conhecimento, e não consigo ler um livro sem ter ao meu lado um lápis para grifar frases ou passagens que me chamam a atenção. Na falta de um lápis, fico desesperado, faço orelha na página em que está o trecho escolhido e, quando chego em casa... *ufa*, sublinho a passagem.
Queria compartilhar algumas dessas citações e, ao mesmo tempo, dar minha humilde opinião a respeito delas.

*Pensar é fácil, agir é difícil, pensar e agir é o mais difícil do mundo* (Johann von Goethe, 1749-1832) – Você se lembra da última vez em que pensou em falar com seu chefe e mandar tudo às favas?

*Informação demais mata a informação* (Tzvetan Todorov, 1939-2017) – Alguém se arrisca a pôr uma placa com esses dizeres no prédio da Google?

*A pessoa que faz caridade o tempo todo é aquela que adquire livros e os empresta para que os outros os leiam* (Talmude, coleção de livros milenares da cultura judaica) – Porém uma grande amiga sempre me disse: "Quem empresta um livro é bobo, e quem devolve é bobo duas vezes".

*Não se pode entrar duas vezes no mesmo rio* (Heráclito, 550-480 a.C.) – Acredito que o filósofo grego não diria isso se conhecesse os rios Tietê e Pinheiros, que cortam a cidade mais rica do país.

*Aquele que combate monstros deve prevenir-se para não se tornar ele próprio um monstro* (Friedrich Nietzsche, 1844-1900) – Por isso, deixem Dona Chica Cá e seu gato em paz!

*Existem duas maneiras de ser feliz nesta vida: uma é fazer-se de idiota, a outra é sê-lo* (Sigmund Freud, 1856-1939) – Difícil escolha...

*Não são raros os indivíduos que exigem da criança atitudes precoces de adulto. Sem a mínima consideração pela exígua idade, ficam a medir a mente infantil pela própria capacidade* (Erasmo de Roterdã, 1469-1536) – Brincar, brincar e brincar...

*Plutarco preferia que o elogiássemos mais por seu julgamento que por seu saber; preferiria nos deixar mais desejosos do que saciados* (Michel de Montaigne, 1533-1592) – Menos presentes e mais diálogo.

*Da criança, podes aprender três coisas: fica contente sem nenhum motivo especial; não fica ociosa nem por um instante; quando precisa de algo, exige vigorosamente* (Talmude, coleção de livros milenares da cultura judaica) – Sabedoria pura!

*Eis o primeiro mal contido na incapacidade de se calar: a incapacidade de se ouvir* (Plutarco, 45-120) – Portanto, me calo (por enquanto), adeus!

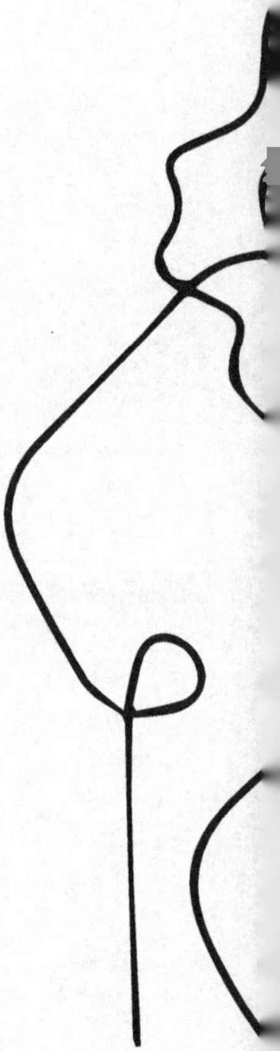

# FAMÍLIA

# A busca da felicidade

A reflexão sobre o conceito de felicidade está presente na humanidade há milhares de anos. Santo Agostinho (354-430), um dos principais pensadores do Cristianismo, enumerou 289 opiniões diferentes sobre o tema. Já no século XVIII, foram escritos 50 tratados. Porém os primeiros homens no mundo ocidental que se preocuparam e se aprofundaram no assunto foram os filósofos gregos pós-socráticos. Aristóteles (384-322 a.C.) – que foi aluno de Platão, que foi aluno de Sócrates – colocou a felicidade no centro de sua filosofia. Quando lhe perguntavam: "Como devemos viver a nossa vida?". Ele respondia: "Buscando a felicidade".

Entretanto, esse conceito em nada se parece com o que o mundo ocidental vem abraçando nos últimos séculos. Para o filósofo grego, a felicidade é confundida com a busca do prazer físico, das honras e do dinheiro. Sendo um sábio, ele não desprezava esses objetivos, mas dizia que, só depois de garantirmos nosso sustento e o de nossa família, podemos mergulhar em sua busca. A felicidade aristotélica estava ligada ao autoconhecimento e, principalmente, a ações voltadas para o bem comum, ou seja, ela não é verdadeira se é somente sentida por um individuo rodeado por infelizes. O filósofo grego nunca entenderia a felicidade egoísta do século XXI.

Na Idade Média, a busca da felicidade foi sendo criminalizada. Felizes eram aqueles que renunciavam à felicidade terrena, mas, como o mundo gira, a religião foi se enfraquecendo com o surgimento do Iluminismo. Novamente, a discussão veio à tona. Uma das mais famosas frases sobre o assunto nessa época foi dita por Voltaire (1694-1778): "O paraíso terrestre é onde estou". A própria Declaração de Independência Americana, fortemente influenciada pelo Iluminismo francês, pôs a procura pela felicidade como um dos direitos fundamentais dos cidadãos. Parecia que o homem havia recuperado seu caminho para a felicidade aristotélica. Ledo engano. Em vez da busca pelo bem comum e pelo autoconhecimento, houve uma epidemia, que dura até hoje, de procura pelo prazer egocêntrico a qualquer custo. Melhor dizendo, a um custo altíssimo. Nos últimos anos, constatou-se um aumento impressionante no uso de antidepressivos entre adultos e crianças.

Depois de 2.500 anos, continuamos confundindo prazer físico com felicidade. Epicuro (341-270 a.C.), outro grande filósofo grego, admitia que buscamos o prazer e tentamos sempre evitar a dor. Porém, para ele, que ensinava seus alunos no seu lindo jardim, a melhor maneira de viver prazerosamente era ter um estilo de vida simples, ser gentil e amável com as pessoas e estar rodeado de amigos.

No filme clássico *Cidadão Kane*, Charles Foster Kane, o magnata multibilionário (prazer físico, honras/poder e dinheiro), quando morre, pronuncia a palavra *rosebud*, o nome do trenó de sua infância pobre, mas que remetia à felicidade (amigos, afetos, brincadeiras), que nunca mais conseguiu resgatar ou comprar. Queremos que nossos filhos sejam felizes. Para isso, é necessário refletir profundamente sobre qual é o nosso conceito de felicidade. Boas reflexões.

# A arte do imprevisível

Vamos chamar o menino da minha primeira história de João. Ele nasceu numa família de classe média. O pai era um funcionário público exemplar e tinha renda sólida. A mãe era dona de casa, perdeu os três primeiros bebês, mas o quarto, João, sobreviveu.

O pai de João era das antigas: severo, disciplinador e batia no filho quando achava necessário. Já a mãe era o oposto... Ela cobria o menino de carinho e depositava nele sonhos de grandeza. João amava ler histórias sobre os índios norte-americanos e seus conflitos no Velho Oeste. Quando perguntado sobre seu futuro, dizia que queria ser artista.

Agora, vamos chamar de José o menino da minha segunda história. José nasceu apenas quatro dias antes de João. Eles são do mesmo ano e mês. A vida de José foi bem mais sofrida financeiramente do que a de João. Seus pais eram artistas de teatro popular e, quando começaram a ganhar certa fama e dinheiro, o mundo começou a ruir para a família do pequeno José.

O pai, talentoso, afundou-se na bebida de tal forma que não houve volta. A mãe, carinhosa e sonhadora, ficou gravemente doente e já não conseguia cuidar do seu amado filho. Resultado, com sete anos, José foi enviado ao orfanato. Ao se lembrar dessa época, já adulto, José sempre dizia que foi a fase mais infeliz da sua vida. Assim como João, José também queria ser artista, adorava inventar e representar histórias.

Qual terá sido o futuro de João e de José? No que eles se transformaram? Quais foram suas características mais marcantes? Como a criação, a educação, o ambiente familiar moldou esses dois meninos que nasceram no mesmo ano e mês?

É evidente que faltam muitas informações para completar o quadro amplo e complexo da vida dos dois, mas nossa mente já pressupõe algumas hipóteses. Temos a tendência de racionalizar as consequências da educação na vida de uma criança.

Quero fazer uma revelação: João e José são personagens históricos reais, ambos nasceram em abril de 1889 (o primeiro no dia 20 e o segundo no dia 16). João nasceu na Áustria e José na Inglaterra. Descobriu quem são? Adolf Hitler e Charles Chaplin.

Como explicar caminhos tão díspares entre duas crianças que foram amadas pelas mães e tiveram problemas com os pais? E o fato de que a fome e a miséria abateram o menino genial que nos legou Carlitos, ao passo que a criança estimulada a ser um grande pintor se tornaria o executor de um dos quadros mais horrendos da humanidade?

A educação é a arte do imprevisível. Por mais que façamos tudo em que acreditamos para o bem dos nossos filhos, nunca saberemos o resultado. Façamos a nossa parte com dedicação e muito amor, o resto é com o acaso e o esforço de cada um.

# Acampamento

Quando eu tinha por volta de nove anos, fui para o meu primeiro acampamento. Era em um clube de campo, e uma cena me marcou profundamente. Estávamos caminhando por uma estrada de terra quando, de repente, um menino gritou: "Olhem o que encontrei!". Era um morcego bebê, talvez caído de uma das árvores. O corajoso garoto pegou o morceguinho e não pensou duas vezes: "Ele deve estar com fome, morcego gosta de sangue, então...". Cutucou uma casquinha de ferida na perna, pegou uma folha e passou no sangue que fluía. Pronto! O jantar estava quase servido. O pequeno animal deu umas lambidas e se recusou a continuar bebendo aquela nojeira. Na época, não sabíamos que a maioria dos morcegos é frugívora, culpa do Drácula.

Não fui a muitos acampamentos, mas minhas filhas são loucas por eles. Toda vez que voltam, contam histórias sensacionais como essa da minha infância. A importância que dão a essa experiência é comprovada quando faço uma brincadeira que se chama Dilema: proponho que imaginem um castelo com três portas. Atrás de cada porta tem alguma coisa, mas só se pode escolher uma. Por exemplo: em uma porta, tem macarrão; na outra, *temaki* e, na última, chocolate. A decisão é dura, mas elas têm de fazê-lo. Toda vez que faço esse jogo e coloco o acampamento atrás de uma das portas, não há indecisão, ele sempre ganha. E a concorrência é dura: piscina, praia, Disney, cinema etc.

Pensar nesse momento do acampamento é bem interessante. Ele propõe para as famílias um esforço para o desapego e o amadurecimento. Vivemos em uma época de muitos "pais helicópteros" (expressão que li em um artigo americano) – aqueles que voam o tempo inteiro em volta dos filhos. Lembro-me de um amigo que não deixava a filha cair de jeito nenhum quando ela começou a andar, estava sempre flanando à sua volta. Além da dor na coluna que ele ganhou, a menina começava a ficar irritada. Cair faz parte do jogo do crescimento. Afrouxar um pouco essa superproteção faz bem para os dois lados.

É claro que não é fácil deixar os filhos por uma semana longe de nossos cuidados, mas pode ter certeza de que, enquanto sofremos, eles estão se divertindo. No acampamento, as crianças precisam exercitar a autonomia (arrumar a cama, organizar os objetos) e a responsabilidade (cuidar das próprias coisas, escovar os dentes). Porém o mais proveitoso é a oportunidade de uma convivência social intensa com outras crianças, sem a presença dos pais para mediar conflitos, quedas reais e psicológicas, tristezas e afins. Evidentemente, há adultos fazendo essa mediação, mas não são os pais; é uma bela diferença. Elas precisam criar ferramentas para lidar com desafios, e isso se chama amadurecimento.

Uma pergunta que pode aparecer é qual a idade certa para ir a um acampamento. Cada família deve perceber o momento ideal, e talvez até descobrir que seu filho não curte acampar. Minhas filhas começaram quando tinham entre sete e oito anos. Acho uma boa idade, mas essa foi a nossa percepção do funcionamento delas. Outro fator de que gosto muito é que lá não tem internet na maioria dos espaços, portanto não temos comunicação instantânea e precisamos aguardar os monitores divulgarem algumas fotos – é claro que temos o telefone e endereço do local, conhecemos a equipe, e isso nos deixa tranquilos. E as crianças se desligam do mundo virtual e vivem intensamente as interações humanas. O melhor de tudo é a volta: cansadas, com roupas sujas, saudade dos pais, abraços e muita história para contar.

# Bicicleta

Há pouco tempo, ensinei minha filha mais nova a andar de bicicleta sem as rodinhas de apoio. Ela, com seis anos, aceitou o desafio de equilibrar-se sobre duas rodas. Na primeira queda, veio um pequeno desânimo – que desapareceu assim que ela soube que a irmã passara pela mesma experiência e que, na ocasião, ensinei-a que só aprendemos a fazer coisas novas tentando, caindo e, finalmente, acertando. O olhar da pequena se transformou, ela levantou a bicicleta e me olhou, como que dizendo: "E aí, papai, vai ficar me olhando ou vamos recomeçar?".

Foram uns 40 minutos de muitas quedas e conquistas. Andava sozinha, queria coçar a cabeça e caía. A cada tentativa nova, a distância da pedalada era maior, até que finalmente ela começou a se soltar, a perceber seu ponto de equilíbrio, a experimentar curvas e, para meu nervosismo interno, correr muito numa pequena descida. Ela é corajosa!

De repente, olhei para ela livre, andando de bicicleta sem rodinhas, cabelo ao vento, um sorriso indescritível no rosto. Fui tomado de uma emoção intensa, lembrei como tinha sido com a irmã mais velha. Tudo muito parecido, até a emoção, mas agora tinha algo a mais, um sentimento de dever cumprido, como se estivesse passando um bastão carregado de sabedoria para uma próxima geração.

Todo esse sentimento me fez lembrar de culturas diferentes que tinham deveres básicos com os filhos. Por exemplo, os persas antigos tinham de ensinar três coisas para seus rebentos antes de completarem 20 anos: montar a cavalo, atirar com arco e flecha e dizer sempre a verdade. Já nos textos judaicos antigos, dizem que os pais têm cinco deveres em relação aos filhos, entre eles, ensinar-lhes os textos sagrados, seu ofício e a nadar.

Hoje, num mundo tão agitado, barulhento, acelerado, virtual etc., quais seriam esses deveres mais importantes para ensinar a nossos filhos? Nadar com certeza é um deles, saber se virar na água é vital. Eu diria também ensinar a andar de bicicleta sem rodinhas; parece algo simples e rotineiro, mas infelizmente não é. Hoje é mais fácil aprender a andar de bicicleta no iPad, equilibrando o *tablet* em vez de o guidão real.

Não aceitem a realidade que nós mesmos criamos como algo irrefutável. O correto, sábio e saudável é que reservemos um tempo para ensinar às crianças coisas que elas carreguem para sempre em suas memórias físicas e mentais. E posso garantir que ver nossos filhos se equilibrando na vida e com um sorriso estampado no rosto provoca uma emoção maravilhosa em nosso coração.

# 40 coisas para fazer antes de eles crescerem

Eu já ganhei de presente de aniversário livros com os títulos *1.001 filmes para ver antes de morrer*, *1.000 lugares para conhecer antes de morrer* e *1.001 músicas para ouvir antes de morrer*. Eu teria de ter umas 1.001 vidas para ver, ouvir e passear tanto. Outro dia, fiquei pensando numa lista de coisas que os pais deveriam fazer ao menos uma vez (tomara que sejam várias) antes de os filhos crescerem – e sabemos que isso acontece rápido demais:

1. Amassá-los gostosamente, niná-los e aconchegá-los.
2. Fazer um esforço danado para vê-los andando pela primeira vez.
3. Fazer outro esforço danado para vê-los falando pela primeira vez. As primeiras vezes não voltam mais.
4. Levá-los ao zoológico (que cuide bem dos animais).
5. Levá-los à praia.
6. Levá-los para conhecer cachoeiras e lagos.
7. Levá-los ao teatro.
8. Levá-los ao cinema.
9. Levá-los a livrarias.
10. Levá-los a museus.
11. Levá-los a parques de diversão.
12. Levá-los para conhecer os pontos turísticos e históricos da cidade em que moram.
13. Fazer com que experimentem comidas novas.
14. Preparar comida juntos.
15. Tentar fazer alguma das refeições diárias sempre com eles (sem televisão e afins).

16. Brincar livremente com eles.
17. Rolar na grama.
18. Brincar de guerra de cosquinha.
19. Brincar na água e com água (mas sem desperdício).
20. Acompanhá-los no primeiro dia de aula de sua vida.
21. Quando possível, pegá-los na escola.
22. Contar ou ler histórias à noite.
23. Conversar e ouvir sobre a visão de mundo deles.
24. Ensiná-los a andar de bicicleta.
25. Ensiná-los a amarrar o sapato.
26. Ensiná-los a tomar banho.
27. Ensiná-los a se enxugar direito.
28. Ensiná-los a respeitar os mais velhos.
29. Ensiná-los a respeitar as pessoas independentemente de sua condição social.
30. Ensiná-los a respeitar as meninas e os meninos.
31. Ensiná-los a importância da persistência e da coragem.
32. Ensiná-los a importância do conhecimento para sua vida.
33. Desenhar com eles.
34. Jogar Stop com eles.
35. Mexer em argila juntos.
36. Fazer bolas de sabão com eles.
37. Fazer a lição de casa (quando possível) ao lado deles.
38. Explorar o mundo invisível (microscópico).
39. Explorar o mundo distante (olhar para o céu).
40. Andar muito de mãos dadas.

# Voz de mãe

Escrevi este artigo no mês em que comemoramos o Dia das Mães, por isso fiquei com vontade de falar sobre uma das vozes mais marcantes e importantes de nossa vida, aquela que nos acalentou e que, nos momentos mais difíceis, sempre tinha uma palavra para nos acalmar, ou que, quando falava nosso nome completo, já sabíamos que vinha uma bronca. A voz que gritava de manhã: "O leite...", e que dizia: "Boa noite, meus amores", ou ainda "não se preocupe, vai dar tudo certo, mamãe está aqui".

O bebê necessita da voz da mãe tanto quanto necessita do seu leite. Será a voz materna que inserirá o novo ser no seio da comunidade humana, como diz o pesquisador francês Jean Biarnès: "É, então, no meio do ruído das vozes que o cercam, que tudo começa para o filhote de homem. Do primeiro grito ao primeiro 'Eu', é entre diferentes vozes que a criança vai poder afirmar sua presença como sujeito".

Como presente para as mães, em qualquer época ou local, queria compartilhar uma narrativa sobre a voz materna.

No século XIV, na região da Andaluzia, na Espanha, existia um homem muito rico, mas analfabeto. Sua vida fora muito sofrida. Havia escapado de perseguições por toda Europa até chegar à Espanha, onde prosperou. Como queria que o único filho não repetisse sua condição de homem não estudado, enviou-o para as melhores escolas europeias. Durante um ano inteiro, o pai não recebeu sequer uma carta do filho, até que, um dia, tal missiva adentrou a casa do rico homem. O pai, não sabendo ler, chamou um empregado e perguntou:

– O senhor sabe ler?

– Sim, meu patrão – respondeu friamente o empregado.

– Então, leia esta carta imediatamente para mim – disse o pai, empurrando o envelope para o empregado.

O empregado, que não gostava nem do homem, nem do filho, nem de ninguém, abriu o envelope e leu a carta o mais rispidamente possível:

– Pai! Preciso muito de dinheiro! Minhas roupas estão velhas e meus livros, rasgados!

– Que empáfia! Que arrogância! Esse moleque pensa que sou um banco! Ingrato! – esbravejou o pai.

Assim que o empregado saiu, a esposa do homem rico se aproximou e, vendo o marido bufando, perguntou:

– O que foi?

– Seu querido filho mandou uma carta. Olhe só o que ele escreveu! – disse o marido, entregando o envelope à mulher, que sabia ler.

Ao ouvir a palavra "filho", o coração da mulher começou a bater mais forte, a saudade era tão grande que ela até cheirava o papel. Com a voz enternecida, leu a carta em voz alta:

– Pai. Preciso muito de dinheiro. Minhas roupas estão velhas e meus livros, rasgados.

– Ah, agora, sim, é meu filho – disse o marido. – Realmente não o havia reconhecido antes. Amanhã mesmo enviarei um emissário com o dinheiro.

Feliz Dia das Mães!

# Bon appétit

A minha mãe sempre diz que fui uma criança que não comia direito. Era monotemático: macarrão na manteiga! Confesso que até hoje adoro essa invenção chinesa (popularizada pelo aventureiro Marco Polo), mas é claro que ampliei meus horizontes e hoje como quase de tudo (berinjela é um obstáculo a ser vencido). Na minha infância, o mundo da alimentação representava uma parcela pequena dos assuntos cotidianos, porém parece que hoje em dia isso mudou.

Uma invasão ocorre hoje: programas e temas ligados à gastronomia pululam às dezenas, centenas, em redes de televisão abertas, fechadas, internet, filmes... Nos últimos anos, a comida é um dos assuntos preferidos em encontros sociais – nada contra falar sobre isso, mas tenho a sensação de uma obsessão com o assunto.

Antigamente, comíamos para viver. Hoje, parece que vivemos para comer! Por que está ocorrendo essa invasão em nossa vida e na de nossos filhos? Sim, eles também são bombardeados com esse conteúdo (minhas filhas adoram esses programas de competição de *cupcakes* e assemelhados). Ouvi uma hipótese de uma amiga. Ela disse que, nos últimos anos, a ida aos restaurantes pelo mundo inteiro ficou muito cara e as pessoas passaram a cozinhar mais em casa. Percebendo isso, o mercado publicitário e televisivo começou a produzir conteúdo para atender a esse público, ou seja, ensinar o "faça você mesmo", seja o *chef* da sua própria vida.

Achei interessante tal ponto de vista, mas acredito que existam razões mais complexas para sermos capazes de ver o dia inteiro programa atrás de programa sobre comida. Em meados dos anos 1990, eu fazia estágio em uma unidade da antiga Febem (hoje Fundação Casa), no bairro do Pacaembu, em São Paulo. Era um local imenso, horroroso e deprimente, que acolhia de recém-nascidos a crianças de 12 anos (ainda bem que foi desativado há muitos anos). Nos vários meses em que frequentei o lugar, o que mais me chamou a atenção foi a falta de brinquedos e espaços para brincar. É evidente que a criançada dava um jeito de fazer seus brinquedos e brincadeiras, mas o que não faltava de jeito nenhum era comida. Era enlouquecedor, aquelas crianças viviam comendo!

O refeitório servia uma quantidade elefântica de comida. Parecia uma indústria de engorda. As crianças estavam o tempo inteiro mastigando. Um dia, tive um *insight*: de boca cheia, eles não reclamam e não têm oportunidade de desejar outras coisas! Era como na história de João e Maria, a bruxa engordando as crianças para depois devorá-las!

Freud dizia que a oralidade é a primeira fase do desenvolvimento, na qual a boca do bebê é a entrada do mundo para o alimento primordial (leite) e o afeto decorrente desse processo. A relação alimento-prazer está arraigada na nossa psique. A oralidade é uma marca forte da infância, a busca do prazer a todo custo (haja vista o choro dos filhos querendo mamar!). Ao amadurecermos, mudamos de fase. É claro, ficamos com resquícios da infância, mas conseguimos retardar as experiências prazerosas; ninguém cai no berreiro porque o *chef* do restaurante está demorando.

Talvez a sociedade atual esteja na fase oral. Esses programas atendem nossos desejos mais profundos de sermos alimentados e acarinhados, amenizando nossos problemas diários e fazendo com que, de boca cheia, não falemos de assuntos que podem transformar nossa vida e a sociedade.

Como faço parte desse mundo e acabei a minha reflexão, volto para meu *cheesecake* de framboesas italianas. *Bon appétit!*

## Kit de sobrevivência para viagens familiares

Depois de muitas viagens de carro com as minhas filhas, e, mais recentemente, de avião, começamos, minha esposa e eu, a criar um rico repertório para atenuar o "já estamos chegando?", "vai demorar muito?", "estou enjoada". É claro que às vezes os enjoos eram verdadeiros. Já vivi cenas de *O exorcista* no meio da estrada: "Pai, estou enjoada". Encosto o carro, olho para trás e vem aquele jato em minha direção. Porém, outras vezes, sabemos que o enjoo é usado como forma de falar: "Que chato ficar aqui dentro do carro".

Bom, depois de alguns anos, chegamos às seguintes boias de salvação durante as viagens:

- Eletrônicos (*tablets* e afins): ferramentas excelentes para passar o tempo. Mas não abusem, pois viciam e tiram completamente a oportunidade de nos aproximarmos dos nossos filhos. Ajudam muito na hora do desespero.
- Músicas: um repertório para rodar durante a viagem pode ser um momento único de trocas geracionais, isto é, mostrar músicas que nós, adultos, apreciávamos e apreciamos até hoje. Assim, vamos também apurando o gosto musical da molecada. Nas minhas viagens, as meninas descobriram Beatles, Beethoven, Mozart, música indiana, grega, árabe, MPB, *rock* nacional e internacional.
- Material para desenhar, escrever e ler: papel, canetas etc. Além de bons livros.
- Jogos de adivinhação: passamos horas brincando disso. Pedimos que alguém no carro pense num animal, não pode falar qual é, e os outros têm de adivinhar qual é o bicho somente fazendo perguntas, que serão respondidas

apenas com "sim" e "não". Existem variações. Pode-se pensar em comidas, personagens de desenho animado, filmes, livros.

- Máquina fotográfica: na última grande viagem, na qual rodamos mais de 2 mil quilômetros durante três semanas, algo que funcionou bem foi colocar na mão delas nossa máquina fotográfica. Resultado: pequenos filmes engraçadíssimos, além de fotos inusitadas da paisagem e delas mesmas. É um passatempo delicioso.
- Comes e bebes: também ajudam. Distraem e são gostosos, mas tudo com controle. Lembram o que contei sobre *O exorcista*?
- Conversas: puxar assunto para as crianças falarem e escutar as maravilhas que elas contam. É uma descoberta emocionante. Sugestões de assuntos para desenvolver: escola, amizades, gostos, desgostos.
- Histórias: contar e inventar histórias. Cada um pode completar a história do outro. Contar sobre a infância, pais, avós. Deixar as crianças criarem suas próprias histórias.

Num mundo tão corrido e fragmentado, aproveitemos esse tempo raro das viagens para nos aproximarmos de nossos filhos.

# Dilemas

Uma brincadeira se tornou um clássico lá em casa. Minhas meninas amam quando digo: "Vamos brincar de 'dilemas'?". Construo a imagem de um castelo e ponho nele três portas. Atrás de cada uma delas, existe uma coisa a ser escolhida. Por exemplo, uma praia maravilhosa, uma piscina dos sonhos e um *shopping*. Elas pensam um pouco, olham para mim, entreolham-se, olham para dentro e respondem. É uma brincadeira deliciosa, que mexe com o intelecto e as emoções. Nesse jogo, as meninas começaram a perceber que poder escolher é um privilégio, mas, ao mesmo tempo, cada escolha exclui outras duas, ou seja, há ganhos e perdas nesse processo.

O que me fez contar sobre essa brincadeira foi o impacto que sofri ao assistir a filmes que colocavam dilemas morais diante dos protagonistas. A moralidade vem fascinando e angustiando o homem há milênios. Nossa mente ocidental é consequência desse debate filosófico, que ganhou grande musculatura nos gregos antigos.

Quando somos jovens, muitas vezes, nossas escolhas morais são absolutas – acreditamos que não existe nenhuma outra porta possível senão aquela que escolhemos. Por exemplo, falar a verdade sempre é o mais correto. Ao amadurecermos, começamos a entender a complexidade disso. Se, por acaso, um assassino vai à sua casa e pergunta se fulano está escondido ali (sim, ele está!), qual porta você escolherá: mentir para salvar a vítima, ou dizer a verdade e condená-la? Esse dilema do assassino parece peça de ficção, mas não é. Muitas pessoas passaram por momentos como esse. Alguns filósofos diriam que a verdade está acima de tudo; outros, que a vida humana está acima de qualquer escolha moral.

O assunto é tão espinhoso que nem gostamos muito de refletir sobre ele, já que envolve nosso cotidiano. "Vale a pena corromper-se para conseguir um bem-estar coletivo maior?",

"É melhor mentir sobre uma traição para manter a harmonia na relação?", "A violência é justificada para parar outra violência maior ainda?" etc.

Como podemos fazer para que nossos filhos tenham o equipamento mental necessário para a compreensão desses dilemas que viverão o resto da vida? Como ensinar o certo e o errado dentro dessa complexidade? O que sei é que as crianças necessitam assimilar essa dualidade. Certo e errado serão a base da construção de suas escolhas. Como passar isso para elas? As boas histórias infantis ajudam muito, e também o modelo que somos como pais, o que fazemos e o que falamos. Com certeza, quanto mais cultura e reflexão, mais portas aparecerão no castelo. Entretanto, a escolha final é de responsabilidade daquele que põe a mão na maçaneta e empurra a porta.

Queria terminar com uma reflexão do escritor israelense Amós Oz:*

> Pessoalmente, acredito que todo ser humano, no fundo do seu coração, é capaz de distinguir o bem e o mal. Às vezes pode ser difícil definir o bem, porém, o mal tem um aroma inconfundível: até uma criança sabe o que é a dor. Portanto, cada vez que deliberadamente infligimos dores a outras pessoas, sabemos que estamos fazendo o mal.

---

* *Como curar um fanático*. São Paulo: Companhia das Letras.

# Ladrão de escravos

A palavra "plágio" significava, na Roma Antiga, "ladrão de escravos". Hoje, tem o sentido de roubo de ideias. Conto isso porque não resisti e furtei uma fala que ouvi num filme. Essa fala me inspirou a fazer uma pesquisa informal, que quero compartilhar.

Um dos personagens do filme pergunta a um colega: "O que você levaria de mais importante de sua casa se ela estivesse pegando fogo?". Na hora em que ouvi isso, pensei em fazer essa mesma pergunta para minhas filhas e minha sobrinha.

Um pensador búlgaro chamado Tzvetan Todorov disse que é preconceito achar que não temos preconceito. Eu me preparei para fazer a pergunta que tanto me instigou para as meninas. Jurava de pé junto que a resposta estaria no campo do mundo material, em objetos de consumo.

Para não influenciar as respostas delas (que têm oito, sete e quatro anos), fiz a pergunta individualmente, quando estavam longe uma da outra. Para minha surpresa, vieram as seguintes respostas: "Levaria comida, uma foto da minha família e um livro para ler" (sete anos); "Uma foto da mamãe, do papai, da minha irmã e um celular de brinquedo" (quatro anos); "Se os meus pais já estão a salvo, levaria um álbum de fotos" (oito anos).

Fiquei fascinado com as respostas. As crianças sempre nos surpreendem. Decidi, então, ampliar minha pesquisa e fiz a mesma pergunta para dezenas de crianças de vários estratos sociais. Ouvi respostas emocionantes em escolas públicas: "Claro que levaria meu irmão de um ano, sou eu que cuido dele"; "Levaria minha única boneca, adoro ela".

A maioria acachapante respondeu que, se a casa estivesse pegando fogo, levaria os pais e irmãos para fora. Outros tantos falaram também de fotos (ou seja, salvariam a memória da família) e uma ínfima minoria respondeu que tiraria de casa *videogame* e TV.

Com todas essas informações, comecei a refletir sobre como realmente subestimamos essa molecada. As crianças recebem diariamente doses cavalares de propaganda, incitando-as a um consumo desvairado. Portanto, nada mais normal do que esperar ouvir respostas do tipo: "Levaria meu iPod XZE 2012". Acontece que essas respostas não representaram nem 1% das crianças entrevistadas.

Uma lufada de ânimo e esperança me atingiu. As crianças, por mais bombardeadas que sejam por um mundo ultramaterialista, conseguem explicitar o que ainda é realmente importante na vida delas: família e suas lembranças.

É evidente que isso não nos tira a responsabilidade de continuar criticando um mundo cada vez mais sem memória e que pretende nos fazer acreditar que a coisa mais importante de salvar de nossa casa em chamas é o nosso cartão de crédito, já que assim poderemos sair do incêndio e comprar uma nova casa em 1.048 vezes sem juros.

# As grandes perguntas

Sócrates é um dos meus filósofos favoritos. Uma das razões para essa predileção está no fato de que esse sábio ateniense focava suas conversas nas perguntas e, por meio delas, conseguia tirar dos outros reflexões e conhecimentos profundos. Confesso que sempre me lembro dele quando minhas filhotas ligam a metralhadora giratória de perguntas. Assim que elas terminam uma, devolvo outra e espero responderem. É como começamos a conversar sobre o tema indagado.

Outra confissão que preciso fazer é que, desde que elas nasceram, já aguardava o dia das grandes perguntas: "Como o bebê entra na barriga da mãe?"; "O que é a morte?"; "O que é pobreza?"; "O que é justiça?"; "O que é Deus?". Essas perguntas já apareceram na minha casa e renderam pensamentos filosóficos profundos e conversas inesquecíveis. O bom disso é que as perguntas vão e vêm em épocas diferentes, os temas se repetem, as reflexões amadurecem.

Quando a pergunta sobre Deus apareceu, joguei para elas o que achavam que era. Uma silenciou por um tempo, olhou ao redor e declarou: "Deus é tudo! É o ar, a água, o arroz com feijão, a terra que pisamos, eu sinto assim". Fiquei tão tocado que levantei e dei um beijão estalado nela. Ela tinha definido Deus com uma visão filosófica profunda – na época, tinha apenas cinco anos. Essa visão panteísta de Deus foi um dos pilares da filosofia de Baruch Espinosa, um polidor de lentes, filho de portugueses, que, morando na Amsterdã do século XVII, construiu uma reflexão penetrante sobre o mundo que o rodeava.

Posso garantir que minha filha não conhecia esse filósofo, mas os filósofos e as crianças têm muito em comum. São seres curiosos, que se assombram com o mundo, duvidam do que veem, querem ver o que está atrás da cortina. São inquietos e, é claro, por isso tudo, são incompreendidos, muitas vezes ridicularizados e hostilizados. O próprio Espinosa foi excomungado por suas reflexões sobre Deus.

A questão "morte" também apareceu – sempre aparece, não há como evitar. Aqui, a coisa se complica. Cada família, cada responsável pela criança tem uma crença particular, mas é muito importante ouvir o que a criança acha sobre esse assunto. Sempre fico preocupado quando inventamos histórias que subestimam a inteligência infantil. Falar que a pessoa ou ser que morreu foi viajar é acreditar que a criança não entende que quando alguém viaja, normalmente, retorna, o que não vai acontecer com o ser que partiu.

Então, o que fazer? Vi recentemente um dos mais belos filmes dos últimos anos: *Alabama Monroe*, para corações fortes. Numa cena, o pai de uma menina muito doente tenta consolá-la, pois ela havia presenciado a morte de um pássaro. A menina, então, pergunta ao pai onde o pássaro estava, já que na mão dela não respirava mais. O pai, preocupado com a doença da filha e não querendo expor sua crença naquele momento, devolveu a pergunta. Para ela, o pássaro havia se tornado uma estrela.

Não existem respostas certas para algumas perguntas. No filme, falar da estrela era algo imprescindível. Mesmo depois de morrer, ela continua brilhando, e isso pode ter muitos significados na vida das crianças e dos adultos. As grandes perguntas não requerem grandes respostas, requerem respeito, bom senso, sensibilidade e, principalmente, humildade para entender que às vezes as crianças têm respostas melhores que os adultos.

# Isso não é justo!

Gosto muito de um antigo conto árabe que relata a briga de três crianças amigas. Ao ganharem de um bondoso mercador uma porção de figos secos, não conseguiam fazer a divisão do presente. A todo momento, uma das crianças reclamava que seus figos eram menores que os dos outros ou um dizia que, como era maior, merecia os maiores figos... A briga foi ganhando uma proporção gigantesca.

Estavam quase chegando a se agredir fisicamente quando um ancião passou pelos três e perguntou o que estava havendo. As crianças relataram todo o ocorrido e, percebendo o olhar sábio do idoso, decidiram pedir ajuda para resolver a situação.

O velho sábio, então, perguntou para os meninos se queriam que ele fizesse a divisão conforme as leis dos homens ou a de Deus. Em uníssono, responderam que queriam conforme a lei de Deus. O ancião pegou todos os figos, olhou para os três e começou a divisão. Para um dos meninos, deu a maior parte dos figos; para o outro, um figo seco só; para o último, não deu nada. Os dois garotos, vendo o colega de mão cheia, começaram a gritar: "Isso não é justo!". Em seguida, questionaram o porquê daquela divisão. O sábio respondeu que eles pediram a divisão conforme a lei de Deus, portanto, assim ele o fez, já que Deus dá muito para uns, pouco para outros e, para os demais, nada.

Essa história me vem à cabeça sempre que ouço minhas filhas falando: "Isso não é justo!". É uma frase curta, mas que é repetida muitas vezes entre elas, quando discutem, ou dirigida aos pais, quando tomam alguma decisão ou fazem algo que desagrada a uma delas, ou a ambas. E não é só em casa que ouço essa frase. Também ouço "isso não é justo" em festas de aniversário, na casa de amigos que têm filhos, em ambientes que as crianças frequentam.

Que tarefa hercúlea ensinar justiça às crianças num país tão, mas tão injusto quanto o Brasil. O que sei é que elas estão muito antenadas com o mundo ao seu redor, e, se queremos que captem alguma essência sobre a justiça, temos de tomar cuidado com nossos discursos.

Lembro bem de uma mãe relatando que tinha ido ao *shopping* comprar um presente com seu filho de quatro anos. Ao entrar na loja, a mãe escolheu o que queria comprar, mas, quando foi pagar, percebeu que havia esquecido a carteira no carro. Ao ouvir a mãe dizendo à atendente que havia esquecido o dinheiro, ele rapidamente falou: "Não tem problema, você pode roubar o presente". A mãe ficou assustada com esse comentário e perguntou de onde aquilo tinha saído. O menino, então, respondeu que o pai sempre dizia que no Brasil todos roubam, portanto ela também podia roubar.

A noção de justiça é bem complexa, porém existem conceitos que podem ser assimilados pelas crianças. A justiça não pode ser apenas um discurso, tem de ser uma prática. Há muitas pessoas que não roubam no Brasil, e é preciso dizer isso para as crianças. Em casa, falo com certa frequência para minhas filhas tentarem se colocar no lugar do outro para avaliar se houve ou não uma injustiça. Elas param, fazem cara de pensamento e então começa uma conversa muito instigante e provocadora de reflexões.

## Adianta ajudar os outros?

O momento da refeição em família é, para mim, um dos mais importantes na rotina da casa. É quando nos sentamos para comer que podemos frear um pouco a correria do dia a dia, saber como foi o cotidiano escolar, ouvir histórias sobre brigas e descobertas diárias. Muitas ideias para os meus livros nasceram nesses encontros ao redor da mesa, assim como algumas colunas – como esta que estou escrevendo agora.

Em um almoço recente, minhas filhas falavam muito sobre a crise que está abatendo o Brasil. As crianças são como esponjas, absorvem tudo à sua volta e, com certeza, estão antenadas com o clima pessimista que invadiu o país. Elas falavam sobre a quantidade de problemas noticiados, dos relatos dos pais dos amigos em dificuldade, perdendo o emprego ou com medo de perder.

A caçula fez silêncio e então disse: "É muito problema, não adianta ajudar os outros, porque são muitos os que precisam de ajuda". Fiquei um pouco pensativo e resolvi responder com uma história famosa – elas não conheciam, ufa! É claro que eu disse que tinha conhecido pessoalmente os personagens da narrativa, isso deu mais força ao relato.

É a história de um menino de sete anos que estava passando férias em uma praia quase desabitada. Em um final de tarde, ele decidiu caminhar sozinho. Quando começou a se aproximar do mar, foi surpreendido pela quantidade enorme de estrelas-do-mar encalhadas na areia. Lembrou-se imediatamente de um programa que vira na televisão, que dizia que a estrela-do-mar precisa de água para viver. Sem pensar duas vezes, começou a pegar estrela por estrela e a jogar o mais longe que podia em direção às profundezas do oceano. Não parava um minuto sequer. Quando estava para lançar mais uma delas, sentiu alguém encostar a mão no seu ombro, parou e notou que era um ancião, um dos pescadores que vira nos primeiros dias de suas férias.

O pescador, com o olhar terno, perguntou para o menino o que ele estava fazendo. O menino, sem tempo a perder e jogando a estrela que tinha na mão, respondeu que estava salvando a vida daquelas belas criações marinhas. O ancião deu um sorriso e disse para o menino levantar a cabeça e olhar a quantidade descomunal de estrelas que ainda estavam encalhadas. Aquilo que ele estava fazendo não adiantava nada, eram muitas!

O menino pareceu ignorar totalmente as palavras do pescador. Pegou mais uma estrela e, antes de jogá-la ao mar, disse em voz alta que, para aquelas que ele estava ajudando, adiantava muito, elas estariam vivas! O ancião ficou tocado com a sabedoria daquela criança e começou a ajudá-la no salvamento. Terminei a história e as meninas estavam com os olhares pensativos.

"Entendi, pai", falou a caçula, "para aquelas estrelas-do-mar que o menino ajudou fazia toda a diferença, então, precisamos ajudar os outros independentemente da quantidade de problemas que existe no mundo". Sorri e disse que elas haviam entendido muito bem a mensagem.

As histórias são fantásticas e poderosas exatamente porque conseguem penetrar na mente e no coração infantil. Duas coisas que podem fazer muita diferença na vida de nossos filhos: refeições em família e boas histórias para compartilharmos com eles.

# A velhice

Conta uma antiga história que um homem trabalhou a vida inteira no seu pedacinho de terra, trabalho duro e honesto. A recompensa veio com a poupança que ele fez para a velhice. Quando ela chegou, o homem resolveu se aposentar e comprar uma fazenda para seu único filho administrar e tirar seu sustento familiar.

Agora, ele vivia na varanda da fazenda do filho, balançando na cadeira, ouvindo rádio, brincando com o neto e mexendo na horta. Durante dois anos, o filho trabalhou duro na fazenda que ganhara do pai, mas o irritava profundamente ver o pai balançando na varanda enquanto ele trabalhava sem parar. Um dia, não suportou mais essa imagem, pegou algumas tábuas de madeira, pregou aqui e acolá, fez uma caixa e se aproximou do pai, dizendo: "Pai, você pode entrar dentro dessa caixa?". Sem pestanejar, ele se levantou e entrou.

O filho colocou a caixa em uma carroça e foi o mais rápido que pode até um penhasco, para atirá-la montanha abaixo. Ao se preparar para lançá-la, escutou a voz do pai: "Não jogue a caixa fora. Seu filho com certeza seguirá seu belo exemplo".

Conto essa história porque venho percebendo no mundo contemporâneo uma aversão maior aos velhos e à velhice. É cada vez mais frequente presenciar cenas de jovens que não se levantam da cadeira para dar lugar às pessoas de mais idade ou irritados quando os idosos ficam na frente da fila. Isso sem contar o desrespeito de crianças perante os mais velhos, ridicularizando-os.

A sociedade é culpada por essa situação. Vivemos num mundo que dá plenos poderes aos jovens e quer vender a juventude eterna. Lembro-me do longa *Brazil, o filme* (1985), dirigido por Terry Gilliam. Nele, a mãe do personagem principal busca a juventude sem medir as consequências físicas e psicológicas – há inclusive uma cena em que ela aparece tão jovem que o próprio filho se assusta.

É primordial respeitar e valorizar os cidadãos velhos. Lendo um livro do escritor franco-argelino Albert Camus (1913-1960), *O mito de Sísifo*, encontrei o seguinte comentário: "Em Atenas havia um templo consagrado à velhice aonde levavam as crianças". Esses gregos antigos sabiam mesmo das coisas. Mostrar para as crianças a importância dos mais velhos é construir uma comunidade com laços fortes com seu passado, é compreender que a velhice é o destino de todos e lutar por seus direitos e dignidade é lutar por si mesmo e por aqueles que você ama.

Algumas escolas vêm desenvolvendo lindos projetos de trocas geracionais. Elas organizam encontros com avós, nos quais os idosos contam como foi sua infância. Levam brinquedos antigos, demonstram cirandas e brincadeiras, e, muitas vezes, as crianças ficam fascinadas em descobrir que algumas coisas não mudaram (pega-pega, amarelinha, pular corda). Tais encontros constroem pontes entre gerações, ensinam que, para estarmos aqui hoje, usufruindo de tantos avanços em diversas áreas, muitos antes de nós trabalharam duro para tentar deixar um mundo um pouco melhor do que encontraram no começo da vida.

# Juventude perdida?

Somos seres do nosso tempo, mas não nos damos conta de que o presente traz consigo marcas do passado e acreditamos que hoje é sempre pior do que antigamente. Havia menos violência, menos destruição do meio ambiente, mais solidariedade, compreensão, justiça social etc. Ledo engano! Até pouco tempo atrás, morríamos como moscas por ferimentos bobos que causavam infecção. A desnutrição foi companheira fiel da humanidade por milênios. Os índices de mortalidade infantil e materna eram altíssimos em quase todas as sociedades. A natureza teve episódios catastróficos nos milhares de anos da existência do *Homo sapiens* e conflitos sangrentos entre vizinhos foram marca constante durante anos sem fim em todos os cantos.

Gostamos de romantizar o passado, criar uma ilusão de paraíso perdido. Imagino que, se houvesse televisão desde os tempos primordiais, veríamos 24 horas ininterruptas de programas "mundo cão": genocídios por comando divino, sequestros, escravidão, competições letais, torturas coletivas e individuais com instrumentos bizarros, guerras e mais guerras.

Você pode não acreditar, mas os índices de violência no mundo estão mais baixos a cada ano. Existem diversos estudos sérios mostrando isso, mas muitos meios de comunicação nos fazem acreditar que vivemos no pior dos mundos. O medo é um produto que vende bem.

Por que estou fazendo essa digressão filosófica? A resposta está em um comentário que ouvi um dia desses. O comentarista dizia que os jovens de hoje estão perdidos, não sabem nada, são incultos, só querem saber de prazeres, não dão a mínima para a autoridade, são narcisistas ao extremo e o futuro está comprometido por causa desse comportamento.

Ao voltar para casa, depois de ouvir esse desabafo de um adulto sério, comecei a lembrar de várias leituras e passagens que falavam da juventude. Fui procurar esses textos. O que encontrei foi: "Inconstante, como aura, é por natureza o pensamento dos jovens"; "A maior parte dos jovens julga-se natural quando é apenas mal-educada e grosseira"; "Os jovens adoram desobedecer, mas, atualmente, não há ninguém para lhes dar ordens"; "Não tenho mais nenhuma esperança no futuro do nosso país se a juventude de hoje tomar o poder amanhã, porque esta juventude é insuportável, desenfreada, simplesmente horrível".

Essas frases foram proferidas por Homero (século VIII a.C.), François de La Rochefoucauld (século XVII), Jean Cocteau (século XX) e Hesíodo (século VII a.C.). Encontrei outros tantos que acusavam a juventude de preguiçosos malvados, alienados que nunca obedeciam aos pais e às autoridades. O problema não é a juventude, que sempre cutucou com vara curta o *status quo*. A questão está em perceber como podemos nos aproximar dessa geração, compreender seus anseios e angústias, abrindo um canal de comunicação (ferramentas não faltam) para um aprendizado mútuo.

A juventude de hoje não é melhor nem pior do que a de antigamente, ela apenas encena uma peça ancestral de conflito de gerações. É só olhar para o cinema, o teatro, as séries televisivas, os livros, para ver esse embate entre o novo e o velho. O produto desse confronto pode ser destruidor. Existem muitos exemplos disso. Mas também pode ser construtivo, há outros tantos exemplos que comprovam isso. A escolha é nossa.

# A natureza humana

Venho estudando há anos a natureza humana. Alguns acreditam que seja uma construção social, isto é, que aprendemos as emoções e ações pelo convívio. Outros creem que ela já venha em nosso corpo biológico, o que faria com que alguns sentimentos e comportamentos surgissem independentemente do aprendizado comunitário. Existem ainda os que fazem um *mix* dessas duas teorias – e eu estou nesse grupo.

Você não faz ideia do impacto disso na vida cotidiana. A política, a educação e a economia são influenciadas por pensadores que aderiram a um desses conceitos. Um dos ícones do grupo que acredita que a natureza humana está enraizada em nós foi o filósofo inglês Thomas Hobbes, que fez uma análise desconcertante. Ele diz que, para o homem, a felicidade é a concretização de desejos. No entanto, quando realiza uma vontade, rapidamente busca outro objeto a ser alcançado; por isso, a dificuldade em ser feliz plenamente.

O filósofo diz ainda que os homens nunca estão satisfeitos e que, para conseguirem o que querem, são capazes de ações indescritíveis. Hobbes mostra nosso lado obscuro, cruel, vingativo, invejoso. De acordo com ele, o homem jogado na natureza externaria todos esses "podres" intensamente, propiciando uma guerra de todos contra todos. A solução seria criar uma sociedade com um governo que civilizasse essa propensão ao caos.

Já o genebrino Jean-Jacques Rousseau trouxe uma visão oposta. Para ele, todo homem nasce bom e puro. A sociedade o corrompe aos poucos. Para comprovar, ele mostrava como os povos primitivos viviam em harmonia com a natureza, eram ingênuos e pacíficos, e ressaltava como as crianças eram seres angelicais – acho que ele nunca presenciou um ataque de fúria de uma delas. É claro que não. Ele abandonou os cinco filhos em um orfanato para trabalhar pacificamente sobre a natureza humana. É um erro romantizar as sociedades primitivas, que eram altamente violentas, segundo relatos e estudos.

Não sou tão simpático a Rousseau – e olha que ele se considerava a pessoa mais bondosa do mundo, com um amor infinito pelos homens. Como disse outro pensador, alguns amam a humanidade e detestam seus vizinhos.

Acredito que precisamos, sim, de um agente externo para frear esses impulsos destrutivos e desejos incontroláveis. Steven Pinker, um dos grandes pesquisadores da violência, contou que, na juventude, acreditava que os homens não precisavam de governos ou leis. Seríamos capazes de viver em paz e harmonia com nossos vizinhos. Até que a polícia do Canadá, país onde ele morava, entrou em greve nos anos 1960. Espantado, ele viu saques a lojas, incêndios, roubos.

Dentro do leque de governos possíveis, a democracia, por mais defeitos que possua, ainda é o mais equilibrado.

O assunto é vasto, mas pode ser levado para dentro de casa. A criança suplica por regras, por alguém que detenha seus desejos intempestivos. Pais rousseaunianos, por melhores que sejam as intenções, podem estar criando filhos que não entendem os limites e buscam satisfazer vontades a qualquer custo. Para os pais hobbesianos, os filhos não são reis e educar é dar limites. Existem outras tantas gradações de pais: freudianos, ecologistas, religiosos, os que misturam um pouco de cada teoria. O importante é que nós, adultos, também tenhamos limites e não sejamos ditadores em nossos próprios lares, buscando a compreensão e, ao mesmo tempo, a firmeza.

# A leveza da vida

Vou confessar algo que talvez minha esposa não goste. Calma, não é isso que você está pensando! Num fim de semana na praia, jogando frescobol com ela, usando duas raquetes de madeira dos anos 1990 – ou seja, pesadas pra chuchu! –, fiz uma reflexão sobre o nosso tempo. Cabeça de escritor é estranha assim mesmo; enquanto jogávamos, sem deixar a bolinha cair, fui elucubrando. Espero que ela me perdoe por não estar assim tão concentrado na partida. Enquanto dava pancadas na bolinha com a raquete, que pesava bastante, olhei para a frente e vi dois homens também jogando frescobol, porém usavam raquetes levíssimas, finas, aerodinâmicas e coloridas.

Na hora, comecei a refletir sobre as coisas deixarem de ser pesadas e começarem a ficar cada vez mais leves: televisões, carros, óculos, bicicletas, tecidos, sapatos. As comidas e as bebidas também foram perdendo suas gordurinhas. A água, que na minha humilde visão sempre foi leve, começou a ser vendida com mais leveza ainda. A lista de produtos alimentícios que se autointitulam *light* é infindável; todos propõem uma substituição do antigo peso para uma leveza saudável.

É claro que queremos comer melhor, carregar menos peso e ter produtos mais eficientes no nosso cotidiano, mas, enquanto a bolinha viajava pelo ar marítimo, meu pensamento começou a vagar: como tal busca pela leveza transbordou para outras áreas de nossa vida.

Percebo que os relacionamentos amorosos ficaram mais leves, queremos liberdade e soltura, nada de alguém pesado do nosso lado. Até o conhecimento, que ficava em enciclopédias (pesadíssimas!), agora está na levíssima nuvem da internet.

Buscar a leveza parece uma prerrogativa da vida contemporânea. Tentamos nos afastar de tudo que nos faça sentir pesados: uma bela bomba de chocolate, uma boa conversa sobre relacionamento, um filme mais denso, um livro mais grosso.

A bolinha continuava sua trajetória, ziguezagueando, e o pensamento fluía nesse mesmo movimento. Mas quem disse que leveza é sinônimo de eficiência? Muito pelo contrário, pode ser sinônimo de superficialidade e inconsistência. Tudo está tão leve que pode começar a evaporar, precipitar-se e dividir-se em zilhões de partes.

Será que não precisamos de um pouco de peso na vida? Peso esse que podemos sentir, tatear, perceber a materialidade, compreender a estrutura e a função? O pesado pode ser mais denso, profundo, aquilo que cria raízes e não se esvai com qualquer ventinho.

Quando carrego minhas filhas no colo, a cada ano que passa, sinto mais o peso delas e isso me deixa feliz, já que me remete ao crescimento/amadurecimento delas.

A bolinha parou, assim como minha reflexão, sentamos nas espreguiçadeiras e eu disse para minha esposa: "Talvez esteja na hora de trocarmos a raquete".

# O médico e o monstro

Quando o escocês Robert Louis Stevenson (1850-1894) escreveu *O médico e o monstro* não fazia ideia de que sua obra se tornaria um clássico universal da literatura e que seria adaptada inúmeras vezes para o teatro e o cinema. Quem não se lembra do maravilhoso professor aloprado de Jerry Lewis?

O que me levou a citar Stevenson e sua maravilhosa obra é que não é somente no teatro e no cinema que seu livro vem sendo encenado. A história da transformação de um homem pacato num monstro terrível vem sendo encenada também na minha casa nos últimos tempos, e tenho a sensação de que não sou o único espectador dessa trama. Explico melhor: minha filha menor anda passando por uma fase em que o Médico e o Monstro se manifestam de um dia para o outro, ou no mesmo dia, ou na mesma hora! Juro que não demos nenhuma poção esverdeada e fumegante para ela.

Ela é uma menina doce, carinhosa, cativante, bagunceira, inteligente (pai babão!), mas de repente... chora, grita, fica mal-humorada, fecha totalmente a cara. Brinco com a minha esposa, lá vem o Mr. Hyde.

No livro, Stevenson aborda a dualidade humana. Ele próprio tinha um conflito interno intenso entre sua criação na fé cristã e um espírito livre e transgressor. Tal dualidade também está presente nas crianças. Elas não são anjos puros e imaculados. O bem e o mal também fazem parte da alma infantil. Quem nunca matou uma formiguinha ou colocou sal em bichos gosmentos? Ao mesmo tempo, são de uma poeticidade inigualável, são capazes de ações e falas enternecedoras.

O importante é não negar esse mundo interno dos nossos filhos, saber que o palco em que se dá essa luta entre o bem e o mal, como diria um dos irmãos Karamazov (da obra de Dostoiévski), está dentro e não fora do coração humano.

Vivemos em uma época em que se quer negar esse lado sombrio das crianças, acreditando que assim ele desaparecerá. Ledo engano! Negando é que fazemos com que esse aspecto se fortaleça. A civilização humana criou inúmeras ferramentas e construtos para auxiliar a infância a dar vazão à sombra e transformá-la em luz: teatro, histórias, esporte, música, pintura.

Lembro-me também de uma fala de José Saramago, com a qual concordo plenamente: "Criança não cresce somente ao sol, mas também à sombra". Ou seja, na sombra não há só monstros, também pode ser um lugar para onde fugimos do sol incandescente e tirano da felicidade plena.

Queria terminar falando que precisamos ter paciência, firmeza e muito amor para ajudar nossos filhos na transformação de Monstros em Médicos. Alguns amigos me dizem que esse enredo ficará bem mais emocionante quando minhas filhotas forem adolescentes. Já comprei os ingressos, agora é aguardar a estreia.

# Excessos e faltas

Nunca antes na história da humanidade houve tanto alimento à disposição de nossa boca.

A falta de comida na boca de mais de 800 milhões de pessoas é uma triste marca da nossa época.

Nunca antes na história da humanidade houve tanto amor parental.

A falta de limites entre filhos e pais é uma marca da nossa época.

Nunca antes na história da humanidade houve tantas informações disponíveis para todos.

A falta de sabedoria, de saber lidar com as informações, é uma marca da nossa época.

Nunca antes na história da humanidade houve tanto consumo de recursos naturais, bens industrializados, produtos de entretenimento etc.

A falta dos recursos naturais e a falta de dinheiro para pagar faturas do consumo são marcas da nossa época.

Nunca antes na história da humanidade houve tantos estímulos externos na vida das crianças: televisão, internet, *smartphone*, *tablet*.

A falta de silêncio, de ambientes onde nos desliguemos dos aparelhos que abduzem nossa mente é uma marca da nossa época.

Nunca antes na história da humanidade houve tantos medicamentos que provocam a felicidade.

A falta de alegria, prazer no trabalho e na família são marcas da nossa época.

Nunca antes na história da humanidade houve tantos especialistas em tudo.

A falta de profissionais que entendam o ser humano como um sujeito completo, interligado com todo o seu corpo físico e espiritual é uma marca da nossa época.

Nunca antes na história da humanidade houve tantas tecnologias que facilitam nossa vida.

A falta de tempo é uma marca da nossa época.

Nunca antes na história da humanidade houve tantas câmeras ao nosso redor.

A falta de privacidade é uma marca da nossa época.

Nunca antes na história da humanidade houve tantos canais de televisão à nossa disposição.

A falta de diálogo em nossas casas é uma marca da nossa época.

Nunca antes na história da humanidade houve tanta luz.

A falta de visão para aquilo que realmente é primordial na vida é uma marca da nossa época.

# FRASES
e adendos

*Não existem livros morais ou imorais. Os livros são bem ou mal escritos* (Oscar Wilde,1854-1900) – Literatura é também transgressão.

*Se queres que o presente seja diferente do passado, estuda o passado* (Baruch Spinoza, 1632-1677) – Diminuir a velocidade e olhar de vez em quando para o retrovisor é fundamental.

*A iluminação escassa favorece o sonho* (Olavo Bilac, 1865-1918) – Cheguem em casa, desliguem aparelhos luminosos e contem histórias para seus filhos.

*Toda a criança é curiosa; resta saber se os que a educam, pelos factos e pelas ideias que oferecem ao exercício da sua curiosidade, farão dela – uma descobridora ou uma mexeriqueira* (Eça de Queirós, 1845-1900) – O problema é que não resistimos a uma boa fofoca.

*Um grande agente na educação da criança é a casa* (Eça de Queirós, 1845-1900) – Portanto, não deleguem à escola o ato de educar.

*Há criaturas que chegam aos 50 anos sem nunca passar dos 15* (Machado de Assis,1839-1908) – Muito atual!

*Podemos extrair algum benefício da disponibilidade de banhos quentes e chips de computadores, mas nossa vida não está menos sujeita a acidentes, ambições frustradas, desilusões amorosas, inveja, ansiedade ou morte que a dos antepassados medievais* (Alain de Botton, 1969-) – Como disse outro pensador: "A tecnologia é a resposta, mas qual mesmo é a pergunta?".

*Não eduques as crianças nas várias disciplinas recorrendo à força, mas como se fosse um jogo, para que também possas observar melhor qual a disposição natural de cada uma* (Platão, 427-347 a.C.) – Esses filósofos gregos sabiam das coisas.

*Os homens erram, os grandes homens confessam que erraram* (Voltaire, 1694-1778) – Estarão faltando grandes homens?

*Um pessimista é um homem que, tendo a escolher entre dois males, escolhe os dois* (Oscar Wilde, 1854-1900) – Confesso: tem dia que acordo exatamente assim.

*O machado corta a árvore, e esta volta a nascer e crescer; a espada corta a carne e quebra o osso, e a ferida sara e o osso se solda – mas as feridas que a língua abre nunca cicatrizam* (Ibn Al-Mukafa, 724-759).

Hora de calar, adeus.

# EDUCAÇÃO

# Mudanças

Nasci em Israel, em 1973. Quando eu tinha seis anos, meus pais decidiram mudar de país e viemos para o Brasil. Confesso que não lembro direito dessa mudança, não tenho recordações da despedida da escola, da viagem de avião, da chegada a São Paulo. Minha mãe conta que sofri bastante para me adaptar ao novo lar, que chorei o ano inteiro na escola por não entender a língua, mas que, depois desse primeiro ano, as coisas foram se ajeitando. Muito dessa época que esqueci foi aos poucos transbordando nas histórias que inventei, e ainda invento, para os meus livros.

Conto essa passagem para refletir sobre o comportamento dos pais de hoje diante de mudanças que impactam na vida dos filhos: mudança de escola, casa, cidade, estado, país e mesmo na constituição familiar, ou seja, crianças que viviam com os pais e, depois de uma separação, acabam morando em duas casas.

Não há na vida momento de mais amadurecimento do que o do confronto com as diversas transformações que pululam à nossa frente. Somos obrigados a sair do conforto daquilo que é familiar para experimentar o estranhamento do novo. O medo é um companheiro fiel nesse momento e não desgruda do nosso corpo. Para sair dessa sensação desagradável, procuramos estratégias de sobrevivência e adaptação. No caso dos adultos, em geral, isso é sempre mais lento e difícil. Já as crianças são mais adaptáveis e buscam rapidamente construir pontes com o ambiente novo.

Tenho visto pais aflitos demais com o sofrimento dos filhos quando fazem pequenas ou grandes mudanças. Trocar de turma vira um furacão familiar – como o meu rebento aguentará tamanho trauma? Posso garantir, eles aguentam, e, ainda por cima, ensinam-nos a arte da construção de novos elos sociais. É claro que há gradações: mudar de escola não é igual a trocar de turma; sair da cidade é ainda mais impactante;

mudar de país, um grande desafio. Porém confio na capacidade infantil de superar todos esses movimentos.

O aprendizado que tiramos dessas situações fica para sempre. O que é a vida, senão uma sequência ininterrupta de mudanças, desde o nascimento, quando saímos do conforto de uma piscina quentinha para um ambiente inóspito? No caminho, ainda surgem pessoas estranhas, cheiros, sons, texturas... Novidades infindáveis! E não só o ambiente se modifica, nosso corpo também se transforma a cada microssegundo.

Temos de parar de superproteger nossos filhos das mudanças da vida. Precisamos estar ao lado deles, apoiando-os, compartilhando suas angústias, descobertas, conquistas e frustrações. Quando desejamos que vivam em uma felicidade perpétua, estamos, sem querer, produzindo um ser humano com pouca capacidade de encarar os obstáculos do cotidiano, um sujeito preso a uma ilusão de eterno conforto e prazer.

Uma das mais importantes habilidades que podemos legar aos nossos filhos é, sem sombra de dúvida, a autonomia. Porém, para alcançá-la, é preciso deixar que as crianças se deparem com as mais diversas transformações e não entrar em desespero por eles e com eles. Dê um tempo para ver como lidam com as situações. Você vai se surpreender com os filhos que tem! É evidente que, se o baque for muito grande, lá estaremos para ajudá-los, mas acreditemos que eles serão capazes de converter o novo em familiar.

# As três perguntas

O título deste texto é o mesmo de um conto de Liev Tolstói (1824-1910), um dos autores mais importantes da literatura universal. Na curta história desse escritor russo, um rei procura um sábio para responder às três perguntas mais importantes para um ser humano tocar a vida: Como posso aprender a fazer o que é certo na hora certa?; Quem são as pessoas de quem mais preciso e a quem devo, portanto, prestar mais atenção que às demais? Que assuntos são os mais importantes e precisam primeiramente da minha atenção?

Evidentemente, não contarei como o rei conseguiu chegar às respostas pelas quais tanto ansiava. Você terá de ler o conto e desvendar seu mistério. O que me interessa aqui é o uso da ferramenta pergunta na construção de um conhecimento e de uma transformação pessoal.

A origem da palavra perguntar é "tatear, sondar com uma vara", isto é, fazer o reconhecimento do caminho, observar a profundidade de lagos, rios e mares. Um dos mestres da arte de perguntar foi o filósofo grego Sócrates. Por meio de indagações, ele fazia com que as pessoas percebessem sua própria ignorância, assim incentivava-as a estudar e a refletir mais sobre diversos assuntos. Contam que Sócrates conseguiu que um escravo chegasse a uma complexa fórmula matemática somente por perguntas.

Toda essa digressão nasceu em uma festa infantil. Quando os pais se encontram nesses eventos, um dos temas preferidos de conversa é a escola dos filhos. O papo transcorria, com opiniões sobre a dinâmica escolar. Não sei se você já reparou, mas temos sempre a tendência de falar mal, criticar, reclamar, mais do que apontar o que está dando certo ao nosso redor. Deve ser algo genético, instintivo, evolutivo. Sempre que capturo conversas alheias em restaurantes, filas de bancos, parques etc., as reclamações, acusações, indignações se sobrepõem aos conteúdos positivos. Enfim, a conversa dos pais seguia nessa toada, e, como fogo em palha, quanto mais se apontavam erros, mais erros pipocavam nos discursos. É claro que eu concordava com uma e outra ponderação, mas ouvindo o quadro geral, não via a situação tão ruim.

Pedi licença ao grupo e fiz três perguntas: "Seu filho está feliz na escola?"; "Ele está aprendendo?"; "Ele está socializando?". A reação foi muito interessante: pessoas com olhares pensativos, falas diferentes. "Meu filho ama a escola." "Tem um projeto maravilhoso que minha filha fez." "A turma dele é muito bacana." Observei a mudança com fascinação. Um pai e amigo confirmou a alteração do clima depois das três perguntas.

Portanto, perguntar é muito mais importante do que responder. Estimulem seus filhos a indagar sobre tudo ao seu redor e dentro da alma deles. Assim, crescerão mais curiosos e criativos, uma dupla inseparável da palavra pergunta.

## Como escolher uma boa escola?

Trabalho com escolas há mais de 20 anos e comecei a notar uma transformação radical na motivação dos pais na hora de escolher um colégio para os filhos. Acredito que a essência da infância não se alterou, o que mudou foi nosso entorno. Com base nisso, quero expor pontos importantes para a escolha de uma boa escola.

- Distância – Para pais que moram em grandes cidades, com congestionamentos monstruosos e estresse permanente, recomendo uma instituição próxima de casa, principalmente no caso de crianças pequenas. Nada mais contraproducente do que chegar à escola contaminado pelo nervosismo do trânsito.
- Equipamentos – Olhar o prédio que acolhe a escola é importante. A segurança é fundamental, porém não considero que só um prédio bonito, seguro, com arquitetura arrojada garanta que a escola seja boa. Já visitei escolas públicas pelo Brasil inteiro, algumas tinham uma estrutura física precária, mas um trabalho pedagógico de primeiro mundo. Já frequentei instituições privadas que pareciam palácios, mas, vendo o trabalho mais de perto, lembrava-me sempre do provérbio: "Por fora bela viola, por dentro pão bolorento". O ideal é quando encontramos um bom equipamento com uma proposta educativa consistente.
- Bibliotecas – Nas antigas universidades europeias e americanas, a biblioteca sempre estava no centro do campus universitário, ou seja, o conhecimento era um dos motivos principais de sua existência. Quando for visitar uma escola, olhe a biblioteca, seu estado físico, seu acervo. Garanto que é boa dica de como ela encara o conhecimento, a leitura e a reflexão dos alunos.

- Tecnologia – Quando olhamos para uma exibição de fogos de artifício, ficamos enfeitiçados, mas, após o *show*, o que fica? Boas lembranças, quem estava ao nosso lado, o jantar depois dos fogos ou simplesmente a emoção do espetáculo. Muitas vezes, ficamos encantados com escolas que mostram seu arsenal tecnológico: lousas digitais, óculos 3D, iPad para todos... mas nunca podemos deixar de perguntar: o que fica depois disso tudo? A tecnologia é uma ferramenta espetacular, porém é apenas uma ferramenta, não deveria ser o centro de uma boa escola. Ela é auxiliar na proposta maior de educar a criança.
- Propostas pedagógicas – Construtivista, montessoriana, waldorf, freiriana, tradicional, democrática, religiosa etc. Existem boas entidades em todas as linhas pedagógicas. O importante é conhecer a proposta, refletir profundamente se faz sentido para a filosofia de vida de cada família.
- Enem – O futuro pressiona cada vez mais os pais e, por tabela, os filhos. Porém acredito piamente que tal preocupação não deva começar na educação infantil. Crianças pequenas têm de brincar muito! Essa é a verdadeira preparação delas para a vida.

Há outros pontos sobre os quais refletir. O que posso dizer é que a escolha do colégio é uma das decisões mais importantes na vida do seu filho. Ela cria marcas profundas. Lembre-se sempre: as crianças têm de estar felizes na escola, socializando e aprendendo. Se isso está ocorrendo, então é provável que sua escolha tenha sido a mais acertada.

# Atenas ou Esparta?

Minha filha mais velha me chamou para ajudá-la a estudar História, porque teria uma prova dali a alguns dias. Sou apaixonado pelo tema. Sentei ao seu lado e comecei a ler a matéria: Grécia Antiga. Evidentemente, não consegui ficar só nos livros e desatei a tagarelar sobre mitos gregos. Foram mais de duas horas de mergulho no passado, mas o tempo todo eu mostrava para ela a relação dessa época com a nossa realidade.

Quanto mais nos aprofundamos no assunto, mais compreendemos sua influência no mundo ocidental: política, educação, economia, comportamento, arte e filosofia têm digitais gregas. Isso sem contar as inúmeras palavras que usamos no cotidiano e que vêm do mundo grego: cronômetro, escola, crise, afrodisíaco, pânico, paixão, pedagogo.

É só ler sobre essa época e as relações com a atualidade vão se desvelando. Com minha filha, falei do atual momento político a partir do surgimento da democracia ateniense. Vimos como os corruptos e os espíritos tiranos sempre rondaram a democracia e que "o preço da liberdade é a vigilância eterna" (Thomas Jefferson, 1743-1826).

Discutimos como se pode chamar um sistema político de democrático se, em Atenas, alguns grupos sociais não participavam desse governo do povo: mulheres, escravos e estrangeiros. Ao mesmo tempo, disse a ela que foi por causa da ideia de democracia nascida naquela época que muitos lutaram para conquistar os direitos de participação plena na vida política.

Quando começamos a estudar Esparta, o espanto (desculpem o trocadilho) dela foi grande. Quanta diferença! Os espartanos viviam e morriam pelas guerras, eram criados para serem soldados desde bebezinhos. Era uma sociedade disciplinada ao máximo, austera e com lideranças fortes.

Essas duas cidades-estado gregas ainda fornecem um manancial gigantesco de referências para as sociedades atuais. Atenas representa uma sociedade mais aberta, cosmopolita, que recebe e exporta conhecimento, comportamento e mercadorias. Esparta representa uma sociedade mais fechada, ensimesmada, militarizada, que não gosta do diferente e se acha autossuficiente. Você reconhece sociedades parecidas nessas descrições?

Esses modelos podem ser transferidos também para instituições, como as escolas. Conheço escolas Atenas e escolas Esparta. Há as que recebem o diferente, que buscam produzir e disseminar conhecimentos, deixando as portas abertas para novos saberes vindos de fora. Outras se acham a última bolacha do pacote, são ensimesmadas, não suportam o diferente, acham que sabem tudo e não precisam da ajuda externa – aliás, o externo é ameaçador.

Esparta ganhou a guerra do Peloponeso (5 a.C.), mas perdeu a batalha das ideias. Foram os atenienses que influenciaram muitos pensadores primordiais nas conquistas mais importantes de uma parcela significativa da humanidade: liberdade de expressão, justiça social, progresso científico, livre circulação de pessoas, mercadorias e ideias.

## Autonomia

No final do ensino médio, meu teste vocacional deu como resultado História. Acabei prestando Psicologia, fazendo mestrado e doutorado em Educação, mas o que gosto mesmo é de histórias, e acabei me tornando um criador delas. Naquela fase, meus pais conversaram bastante comigo, porém não eram conversas preocupadas com minha sobrevivência futura. Eles queriam que eu escolhesse algo que tivesse afinidade com meu jeito de ser no mundo. Eles sabiam que o esforço, a seriedade e a paixão pela minha profissão, qualquer que escolhesse, seria uma garantia de satisfação e de sobrevivência autônoma no futuro. E tinham razão!

Conto isso porque fiquei assustado com uma reportagem sobre a interferência de alguns pais na vida universitária dos filhos. A matéria destacava que alguns assistiam ao primeiro dia de aula dos filhos e reclamavam da nota baixa deles na universidade! Meus pais nunca foram à faculdade onde estudei, não conheceram nenhum professor e jamais reclamariam de nota baixa. Eu estava com 17, 18 anos, entrando no mundo adulto, era o momento de me responsabilizar por meus atos, ganhar autonomia, sair da bolha familiar e me deparar com uma fração da realidade social.

É muito esquizofrênico esse processo que a sociedade vem criando. Quando olhamos para a infância, vemos a precocidade sendo alimentada por esses pais, que não veem problema em criar uma agenda extenuante para filhos pequenos, abarrotando-os de informações e experiências, com o intuito de prepará-los para o futuro. Falamos o tempo inteiro que as crianças estão mais espertas, que mexem em *gadgets*. Essas mesmas crianças, que aparentemente ganharam mais autonomia, são as que chegam às faculdades e pedem ajuda aos pais quando as notas não saíram do jeito que gostariam. Por que isso acontece? A resposta está na diferença entre informação e formação, entre inteligência cognitiva e inteligência emocional.

Uma criança bem informada não quer dizer bem formada. Precisa haver um fluxo entre o mundo objetivo e o subjetivo. Muitas crianças e os jovens têm uma característica em comum: a imaturidade, um mundo interior em que os desejos pululam e não encontram barreiras consistentes no mundo exterior. Criamos um universo repleto de oportunidades de aprendizagem para nossos filhos, mas buscamos controlar esse ambiente, tentando afastar qualquer intempérie que atrapalhe sua evolução rumo à felicidade. Não há problema em querer ajudá-los na busca de suas conquistas, o problema é que, mesmo sem intenção, estamos atrasando esse desenvolvimento.

Outro dia, minha filha mais velha chegou chateada da escola. O professor teria dito algo que lhe desagradou. Ela contou que foi reclamar com o orientador e resolveram a situação. Fiquei tão feliz! Aos 11 anos, ela se sentiu autônoma para resolver um problema escolar sem a necessidade de chamar os pais, algo cada vez mais comum – qualquer briga entre crianças de três, quatro anos acaba acarretando uma beligerância inacreditável. O resultado muitas vezes é um mal-estar gigantesco entre pais e escola, ao passo que as crianças voltam a ser amigas. Recomendo um filme sobre isso: *O deus da carnificina* (2011), de Roman Polanski.

É evidente que minha filha precisa amadurecer em outros aspectos da vida e, para isso, tenho de me policiar, a fim de não blindá-la contra todos os sofrimentos e percalços. Em certo grau, deixá-la se virar é a chave de um futuro mais emancipado. O sábio filósofo Nietzsche disse: "Considerar as indigências de toda espécie em geral como objeção, como algo que importa suprimir, é a *niaiserie par excellence* [suprema estupidez], numa acepção lata, um verdadeiro desastre nas suas consequências (...) quase tão estúpida como seria a vontade de suprimir o mau tempo (...)".

## *Bullying* em Krypton

Nos Estados Unidos da década de 1930, um garoto franzino está com a mão levantada na sala de aula:

– O que foi? – pergunta a professora.

– Estou apertado, preciso ir ao banheiro – responde o menino, com ar de desespero.

A professora não permite que o garoto saia. Resultado: ele não suporta e faz xixi nas calças! A turma inteira tira o maior sarro do acontecimento. A humilhação e o constrangimento prosseguem por um bom tempo.

Esse menino adora histórias em quadrinhos, tem uma imaginação fértil e, com o lápis na mão, começa a imaginar um herói invencível. Essas histórias vão aliviando sua dor e lhe dão esperança de um futuro melhor. Nessa jornada, aparece outro menino, vindo do Canadá, também sofredor de perseguição na escola. Os dois, Joe Shuster e Jerry Siegel, tornam-se grandes amigos e, juntos, criam um dos super-heróis mais famosos do mundo: o Super-Homem.

Não se sabe se essa história é real ou não, mas ela serve para uma reflexão sobre o *bullying*. É interessante notar que, muitas vezes, é de sentimentos de humilhação e constrangimento que podem nascer super-heróis. Há muitos exemplos de pessoas que usaram o sofrimento como uma fonte rica para superar traumas. *Bullying* não é o bicho de sete cabeças que pintam por aí. É óbvio que cada pessoa é diferente, que reage diferente quando se depara com as adversidades da vida.

Lembro-me de um programa a que assisti, sobre um *rapper* brasileiro famoso. Ele falava sobre o *bullying* que havia sofrido na escola. Enquanto seus amigos jogavam bola na quadra, ele era ignorado por todos e ficava sozinho com um caderno na mão, escrevendo suas rimas. Ou seja, aquilo formou o *rapper*, aquele sofrimento produziu um artista em contato com sua criatividade, o isolamento o ajudou naquele momento. No caso dele, o resultado foi positivo e só pôde ser reconhecido anos depois.

O *bullying* causa sentimentos de infelicidade. Para alguns, isso pode desencadear efeitos devastadores; para outros, porém, pode propiciar experiências transformadoras, isto é, a fim de superar o que ocorreu, essas pessoas vasculham e encontram em suas almas uma força que nem sabiam que tinham. Depois dessa descoberta, vão correr o mundo para se tornarem heroínas de seu destino.

Blindar a infância e a juventude de sofrimentos é praticamente impossível. A vida penetra no ser humano sem aviso prévio. Devemos ficar atentos a esses acontecimentos e compreender que, muitas vezes, eles mais fortalecerão do que enfraquecerão nossos filhos.

# Carta dobrada ao meio

Antigamente, os embaixadores dos mais variados reinos eram enviados por seus soberanos para missões nos reinos vizinhos. Tais funcionários reais levavam consigo presentes e, principalmente, pergaminhos dobrados ao meio, repletos de selos e timbres. O nome dado a essas mensagens era diploma – em latim, "carta dobrada ao meio". Quem entregava tais diplomas ficou conhecido como diplomata.

O que me levou a pensar sobre a origem da palavra "diploma" foi a percepção diária da importância dada à sua aquisição. Pesquisas e mais pesquisas mostram como houve um aumento vigoroso nas últimas décadas de pessoas que conseguiram o seu diploma, e como isso influencia diretamente a renda do indivíduo.

Ao mesmo tempo, ouço colegas da área universitária e profissionais de recursos humanos de grandes empresas que me contam como o jovem diplomado chega defasado ao mercado de trabalho, sem bases sólidas nas mais variadas áreas do conhecimento e/ou com uma imaturidade emocional considerável. Precisamos refletir urgentemente sobre esse modelo educativo que dá mais importância a uma carta dobrada ao meio do que ao conhecimento em si.

O interessante é que essa reflexão não deve ser só direcionada aos alunos, que, com muita dificuldade, esforço e perseverança, conseguem alcançar o ensino superior com uma defasagem causada pela precariedade do sistema educativo público. Olhando para os alunos privilegiados, aqueles que frequentam o ensino privado da educação básica e média, também me assusto com o foco de muitas das instituições na busca pelo diploma.

O diploma deveria ser a consequência, e não o objetivo da educação. Devemos preparar crianças e jovens para a vida, compartilhar com eles nossa herança cultural, prepará-los para serem sujeitos pensantes e ativos na sociedade. Tanto a escassez como o excesso de informação não permitem ao aluno desenvolver todas as suas potencialidades. A imaturidade dos jovens talvez tenha raízes nesse processo.

Lembro-me de uma história sobre um grande professor, que recebeu uma carta de um colega. A carta falava de um aluno de sabedoria ímpar e convidava o eminente mestre a conhecê-lo. O renomado professor foi visitar o colega, entrou na escola e perguntou qual era a rotina do aluno prodígio. Descobriu que o menino estudava dez horas por dia, fazia refeições rápidas para não perder tempo de estudo. Escovar os dentes, nem pensar, o tempo urge para o conhecimento. Brincadeiras, uma vez por semana, rapidinho. O grande mestre ouviu tudo com serenidade e respondeu ao colega: "E quando ele encontra tempo para ser sábio?".

Uma história antiga, essa que contei, mas tão atual! Conheço escolas que se orgulham da rotina extenuante de crianças pequenas. O diploma com certeza virá, já a sabedoria...

## Precisamos de escolas intelectualmente honestas

Em uma interessante conversa com um homem mais velho e experiente do que eu, começamos a falar sobre o alemão Martinho Lutero, o monge agostiniano e professor de teologia que, com suas 95 teses, abalou a Igreja Católica e o mundo ocidental no século XVI. A Reforma Protestante iniciada com Lutero se alastrou como fogo em palha por várias regiões europeias, causando uma reação fortíssima da Igreja Católica, a contrarreforma. Muito sangue jorrou nessa disputa religiosa. Ao mesmo tempo, o protestantismo beneficiou a forma como o indivíduo se relacionava com as escrituras, pois ele poderia fazer uma jornada mais individual rumo à espiritualidade, sem a mediação (interpretativa e financeira) da Igreja. Foi uma revolução no Ocidente, e seus desdobramentos são sentidos até hoje. Como não sou teólogo e este texto é voltado aos pais, quem tiver curiosidade de saber mais detalhes dessa história, não faltam livros e filmes no mercado.

O que aconteceu de interessante na conversa e que suscitou este texto foi que eu trouxe uma informação nova para meu interlocutor, que ficou abismado e curioso em saber mais. Comentei que Lutero, que brigou com a Igreja por não seguir os ensinamentos verdadeiros de Jesus Cristo, que condenou a comercialização da espiritualidade, que buscou resgatar a simplicidade dos primeiros cristãos etc., foi o mesmo que, em 1543, publicou um tratado odioso e intolerante: *Sobre os judeus e suas mentiras*. Citei alguns trechos desse tratado para meu interlocutor e ele ficou boquiaberto. É importante dizer que, nas últimas décadas, muitas igrejas protestantes rejeitaram veementemente esse lado sombrio de Lutero.

Por que é importante conhecer sempre todos os lados de uma história? A informação que eu conhecia (não aprendida na escola, e sim solitariamente) é fundamental para entender o antissemitismo alemão dos séculos posteriores a Lutero e seu tenebroso auge na ascensão de Hitler, conhecedor dessa obra e plagiador de algumas passagens, adaptadas em seus discursos funestos.

Fiz uma revisão dos meus anos escolares e tomei consciência de que grande parte dos meus professores nas áreas de humanas não passaram nem perto de mostrar as variadas visões sobre um determinado fato histórico. Professor não é sabonete. Ele não pode ser neutro. Ninguém é neutro. O professor tem formação familiar, religiosa ou não, sua visão particular do mundo. Porém tem uma obrigação de ofício: apresentar aos alunos todos os aspectos possíveis de um determinado fato, e não levar a mente de crianças e jovens a conclusões precipitadas que coadunem com sua visão de mundo. A isso se chama proselitismo, ou seja, tentativa de conversão dos alunos à sua ideologia.

Um verdadeiro professor é aquele que sabe que pode estar errado, que estuda profundamente um assunto e sabe escutar o contraditório. Um verdadeiro professor não quer formar discípulos, mas livres-pensadores. Um verdadeiro professor é um faroleiro, propõe caminhos e descobertas, e não um pacote pronto de saberes, que muitas vezes dizem muito mais das crenças do professor do que uma visão mais espinhosa de determinados fatos.

Precisamos de escolas intelectualmente honestas, que fomentem o pensar em seus mais variados matizes. Caso a escola seja abertamente adepta de uma causa ideológica, religiosa e espiritual, que diga isso aos pais, que eles saibam disso e que sejam livres para escolher esse local para seus filhos. Porém, se a escola se propõe a ser laica e expor o conhecimento de forma ampla e não reducionista, quem assim o faça, sem vender gato por lebre.

Toda essa discussão é muito interessante e importante, mas, antes de jogarmos pedras uns nos outros (infelizmente, isso não é uma metáfora), os defensores de uma escola livre de proselitismos ou os defensores de escolas militantes, entre outros tipos existentes, precisamos lutar, por mais incrível que pareça, em pleno século XXI, para que a maioria dos alunos brasileiros aprenda a ler e a escrever direito! E que saibam matemática básica! Como sempre lembrava um antigo professor da minha escola, *saco vazio não fica em pé.*

# O valor da educação

Há quase 20 anos, circulo pelo Brasil como autor de livros infantis e educador, sempre abordando temas que circundam a infância e a juventude. Já estive em quase todos os estados brasileiros, conheci a miséria e a opulência do nosso país, trabalhei em creches, centros de juventude, hospitais, escolas públicas, escolas particulares etc. Por que estou contando isso para você? Seria mais fácil passar o endereço do meu *site*, pois lá estão todas essas informações, mas é que outro dia recebi um *e-mail* solicitando minha participação num evento educativo. Queriam uma palestra. Até aí, nada de novo.

Agora, vem o que me deixou pensativo e me recordou algumas situações semelhantes no passado. A instituição que me convidava para palestrar por três horas queria que eu, gentilmente, em prol da educação, não cobrasse pela palestra. Acontece que tal instituição privada cobra de seus alunos fortunas em mensalidades. Gentilmente, eu diria para os alunos dessa mesma instituição não pagarem mensalidades em prol de sua própria educação.

É evidente que, nesses anos todos, fiz, e continuo fazendo, muita coisa voluntária. Aliás, não devemos ficar falando por aí de nossas atividades voluntárias. Temos de fazê-las por motivações internas, não porque os outros vão aplaudir.

Lembro-me de outro caso parecido, numa escola riquíssima de São Paulo. Ligaram me convidando para a realização de um trabalho, mas queriam que fosse de graça. Não aguentei e respondi para a coordenadora da escola: "A senhora vai para o médico e pede que a consulta seja de graça? O encanador resolve seu problema em casa e você diz: 'Obrigado, foi um trabalho excelente, que Deus lhe pague?'".

Esses casos dizem muito sobre o valor que damos à educação. Em certas profissões, não existe a menor possibilidade de isso ocorrer, nem passa pela cabeça das pessoas não pagar pelo trabalho que o outro está fazendo. Por que isso não vale também para quem trabalha com educação?

A famosa atriz Cacilda Becker dizia: "Não me peça para dar de graça a única coisa que tenho para vender". Acredito piamente que o trabalho do educador seja um dos mais importantes da nossa sociedade. Do que não nos damos conta é que os educadores ficam mais tempo com os nossos filhos do que a própria família. São eles que participam ativamente da formação intelectual e afetiva das crianças. A importância do educador é tanta que já presenciei muitos lapsos de crianças em salas de aula, chamando seus professores de "mãe", "pai", "avô", "avó". Somente pessoas marcantes na vida de alguém é que podem provocar nas crianças tal ato falho. Ou seja, valorizar a educação e seus agentes é valorizar nossos filhos e a sociedade no geral.

# A catedral das palavras

## Como a leitura pode se tornar uma construtora do imaginário

Quando fui convidado a escrever este artigo, eu me lembrei de uma história de que gosto muito:

> *Um buscador da verdade perambulava pela região da Úmbria, na Itália, quando começou a ouvir um grande barulho vindo de uma pequena cidade que ele avistara ao longe. Ao adentrar no pequeno burgo, descobriu que se chamava Orvieto. No centro de Orvieto, o buscador da verdade ficou perplexo com o esplendor da catedral que estava sendo construída; quando estivesse pronta, todos a conheceriam como a catedral de Santa Maria Assunta, uma das mais lindas do mundo! O barulho que ele ouvira ao longe era dos quebradores de pedras, que trabalhavam sem parar para fornecer matéria-prima aos construtores e artistas daquela majestosa construção. O homem que buscava a verdade começou a rodear a catedral e, na parte de trás, viu um quebrador de pedras de aspecto taciturno, aproximou-se e perguntou:*
>
> *– Meu bom homem, como é seu trabalho?*
>
> *O quebrador de pedras olhou de soslaio para o buscador da verdade e, quase bufando, respondeu:*
>
> *– É um dos piores trabalhos do mundo! Trabalho como um burro de carga! É uma vida desgraçada! Agora, vá embora e me deixe trabalhar!*
>
> *O buscador da verdade ficou mexido com aquelas palavras, mas continuou a caminhar e, numa das laterais da catedral, viu outro quebrador de pedras e fez a mesma pergunta, e a resposta veio num tom um pouco mais ameno:*

*– Não é um trabalho fácil, precisa de força e energia, mas com ele consigo alimentar a minha família dignamente, e posso lhe garantir que é melhor quebrar pedras do que sofrer arando a terra e rezar para que o clima e as pestes não destruam tudo.*

*O buscador da verdade ouviu atentamente o segundo quebrador de pedras, despediu-se e continuou circulando a catedral. Agora, ele estava bem perto da fachada, e que fachada! Por lá, também havia quebradores de pedras, ele se aproximou de um que parecia fazer o seu ofício com muita dedicação, o homem batia nas pedras, respirava, olhava para a fachada e continuava com mais ânimo.*

*– Meu bom homem, como é o seu trabalho?*

*O terceiro quebrador de pedras respondeu:*

*– Eu estou construindo uma catedral! Agora, por favor, me dê licença que preciso continuar!*

O buscador da verdade ficaria por muitos anos refletindo sobre o que aqueles três quebradores de pedras falaram para ele. Quem, um dia, tiver oportunidade de conhecer Orvieto e a catedral, não deixe de fazê-lo!

Podemos nos inspirar nesse antigo conto para pensar como estamos apresentando a leitura e os livros aos nossos alunos. A leitura apresentada somente como trabalho, esforço, desvinculada das infinitas possibilidades do imaginário é apenas um fardo na vida das crianças, que carregam as palavras como enormes pedras, não percebendo sua função. Conheço, infelizmente, casos assim, de alunos que odeiam a leitura pelo simples fato de não enxergarem a catedral deslumbrante que podemos erguer com ela. Há casos em que os alunos, assim como o segundo construtor, percebem que, se entregarem o que o professor quer, já está bom, é o famoso "nota só para passar". Entendem o jogo combinatório das palavras, mas ficam no seu uso limitado, apenas para alimentar o diário de avaliação.

No entanto, há os alunos que têm o privilégio de compreender e sentir o que as palavras são capazes de provocar e, com isso, mergulham na catedral de palavras e, combinando-as, vão construindo mundos sem fim. O bom de ser criança ou jovem é que o destino do leitor não está selado ou escrito a tinta de ouro numa superfície metálica, impossível de ser apagada. No mundo das letras, os cegos podem voltar a ver e, depois dessa visão, raramente ocorrem recaídas, já não podemos grudar a maçã do conhecimento no galho novamente, nem com uma supercola.

Um leitor literário competente não pode voltar para trás. Ele pode ficar enferrujado, mas ler é como andar de bicicleta, se ficamos anos sem praticar e voltamos de repente, precisamos de pouco tempo para nos adaptar e *bicicletar* como antigamente. Com a leitura literária, é a mesma coisa. Se a base foi bem construída, o retorno, em caso de falta de prática, é bem mais fácil. Mas estamos falando aqui de alunos, livros, leituras, maçãs, catedrais. Em que momento o professor entra nisso tudo? Ele é o principal agente de todo esse processo, é o arquiteto, o maestro que precisa mostrar o que podemos construir com as palavras, qual a função delas em nossa sociedade e em nossa vida.

Um mundo sem palavras é um mundo caótico. Na selva, um leão não pede um bife acebolado para o garçom nem faz bicos para descolar uma graninha, menos ainda chama a empresa de *delivery* da hiena para entregar uma coxa de antílope ao molho de gnu. O leão, que não usa palavras, ruge e ataca suas presas – essas, coitadas, por também não terem palavras, não podem ligar para a polícia e pedir ajudar. O mundo das palavras é o responsável pelo que somos e pelo que fizemos até agora conosco e com o lugar que habitamos: algumas coisas surpreendentes, outras nem tanto.

O professor precisa mostrar para os alunos o valor das palavras e a sua potência. Foram as palavras que nos levaram à Lua e ao fundo do mar. Foram elas que nos levaram a descobrir o invisível, como as bactérias, e a apreciar o visível, como o pôr do sol. Mais do que isso, transmitiram esses conhecimentos de geração em geração.

A pergunta que surge é: como o professor pode começar a construir essa ponte com o aluno, para que ele possa cruzá-la em segurança? Podemos acenar do outro lado da ponte e esperar que a turma venha sozinha. Podemos caminhar em sua direção e propor que venha conosco até o outro lado. Tudo isso é válido, mas acredito que, antes de falar em pontes e caminhadas, a primeira coisa a fazer é transformar-se em leitor. O professor deve, ele mesmo, ser um leitor, um modelo a ser seguido e admirado.

Isso me fez lembrar de outra história. Mahatma Gandhi é um dos personagens históricos mais conhecidos do mundo, um dos responsáveis pela independência da Índia nos anos 1940. Muitos relatos circulam sobre sua sabedoria e simplicidade. Em um deles, conta-se que uma mãe desesperada pediu para falar com Gandhi e ele a atendeu.

*– Sim, em que posso ajudá-la, minha senhora?*

*A mãe estava com um filho ao seu lado, um menino de sete anos, e apertava a mão do menino com força, bem irritada:*

*– Gandhi, por favor, diga ao meu filho para parar de comer açúcar. Os dentes dele estão todos cariados e ele também fica o tempo todo no banheiro. Eu tenho certeza de que ele irá escutá-lo.*

*Gandhi olhou para ambos, fez uma cara séria e disse:*

*– Por favor, volte daqui a três semanas com o seu filho.*

*Ela agradeceu e foi embora. Depois de três semanas, lá estavam eles novamente com Gandhi:*

*– Venha cá, meu menino – disse o líder indiano.*

*O menino se aproximou e parecia hipnotizado pelo olhar daquele pequeno grande homem.*

*– Por favor, meu menino, pare de comer tanto açúcar.*

*– Sim, vou parar.*

*A fala do menino parecia ter saído do fundo do seu coração. Ele realmente pararia de comer tanto açúcar. A mãe, espantada e agradecida, disse:*

*– Obrigada, mas não entendi por que o senhor não falou isso para o meu filho há três semanas e me fez voltar somente agora.*

*Gandhi abriu um singelo sorriso e respondeu:*

*– Há três semanas, quando vocês vieram pela primeira vez, eu também estava comendo muito açúcar. Passei esse tempo sem comer um grão doce sequer. Se você quer que alguém faça o que você diz, você também tem de fazê-lo.*

*A mãe e o filho concordaram com a cabeça e se despediram daquele que tinha acabado de ensinar-lhes uma grande lição.*

É isso. Se queremos que nossos alunos sejam leitores, que saibam a alegria que o encontro com a literatura pode proporcionar, temos de ter essa experiência e praticá-la. Assim, quando acenarmos para eles da ponte, eles verão em nossos olhos que sabemos do que estamos falando, que os livros fizeram e fazem um bem danado para nossa alma e nosso coração. Quando o amor que os professores sentem pelos livros transbordar para os seus alunos, outro fator de extrema importância despertará: a imaginação. Sem imaginação, não há aprendizagem; sem imaginação, não há futuro! A imaginação foi a base de quase todas as descobertas e criações mais importantes da história humana, de Da Vinci a Einstein; de Beethoven a Cartola; de Santos Dumont a Steve Jobs, todos tinham em comum a grande capacidade de imaginar.

Não existe melhor lugar no mundo do que nos livros! Perdi a conta das vezes em que li sobre grandes personalidades das mais diversas áreas – artistas, filósofos, cientistas etc. – que contam como os livros e as histórias ouvidas na infância e juventude foram cruciais para sua formação e protagonismo em suas áreas de atuação. Certa vez, Bill Gates, na época o homem mais rico do mundo, concedeu uma entrevista a um jornal estadunidense e a repórter fez a seguinte pergunta:

– Quem o fez ser o homem mais rico do mundo?

– A minha avó!

A repórter deve ter feito uma cara de surpresa, e indagou:

– Por que a sua avó?

– Porque a minha avó me contava histórias, me fazia sonhar, imaginar mundos que ainda não existiam.

Quero encerrar falando sobre outro personagem marcante do século XX, o filósofo francês Jean-Paul Sartre. No livro *As palavras*, Sartre narra como, em sua infância, a leitura, a literatura e a imaginação foram fundamentais. Elas o tornaram uma das figuras públicas mais reconhecidas da sua época. Vamos adentrar a sua catedral de palavras: "(...) mas os livros foram meus passarinhos e meus ninhos, meus animais domésticos, meu estábulo e meu campo; a biblioteca era o mundo colhido num espelho; tinha a sua espessura infinita, a sua variedade e a sua imprevisibilidade (...)".

Simples assim.

## FRASES
e adendos

*Ama a humanidade, detesta seu semelhante* (Edmund Burke, 1729-1797) – Antes de querer salvar o urso polar, olhe à sua volta, tem muita coisa a ser salva antes.

*A dificuldade é um severo instrutor* (Edmund Burke, 1729-1797) – A infelicidade não é uma doença.

*(...) há pessoas que preferem parecer sábias a sê-lo, em vez de o serem mesmo sem parecer* (Aristóteles, 367 ou 366-322 a.C.) – Já conheceu alguém assim?

*As memórias preservadas desde a infância e que carregamos durante nossa vida são talvez a nossa melhor educação* (Alyosha Karamázov, personagem de Dostoiévski [1821-1881] no livro *Irmãos Karamázov*) – O começo de tudo está na infância.

*A memória trai a todos, é uma aliada do esquecimento, é uma aliada da morte* (Joseph Brodsky, 1940-1996) – O que eu ia falar mesmo?

*A lembrança das coisas passadas não é necessariamente a lembrança das coisas como elas foram* (Marcel Proust, 1871-1922) –A mente é ardilosa, confiamos demais nela.

*O número de tolos é infinito* (Horácio, 65-8 a.C.) – E o de sábios é diminuto.

*As palavras. Muitas que hoje desapareceram irão renascer, muitas, agora cheias de prestígio, cairão, se assim o quiser o uso* (Horácio, 65-8 a.C.) – A língua é viva!

*E, uma vez lançada, a palavra voa irrevogável* (Horácio, 65-8 a.C.) – Escutaram, fofoqueiros de plantão?

*O amor recíproco entre quem aprende e quem ensina é o primeiro e mais importante degrau para se chegar ao conhecimento* (Erasmo de Roterdã, 1466-1536) – Lembra-se daqueles professores que marcaram você positivamente?

*A morte é certa, mas a hora é incerta* (Cícero, 106-43 a.C.) – Trabalhem menos e curtam mais a família.

*Quem vigiará os vigias?* (Juvenal, 60-127) – Que pergunta boa e atual!

*Não há silêncio maior do que o ruído absoluto, e a abundância de informação pode gerar a ignorância absoluta* (Umberto Eco, 1932-2016) – Portanto, é hora de calar.

# CULTURA

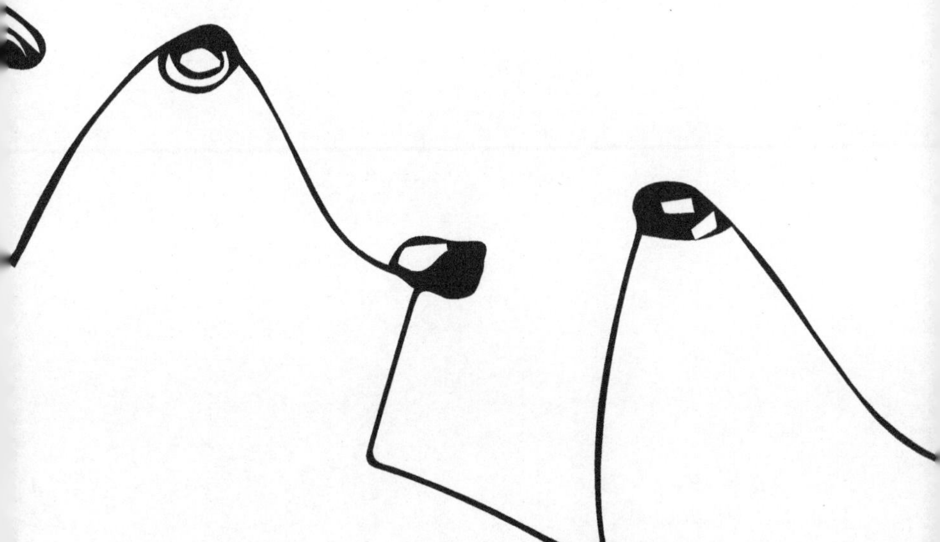

# A biblioteca dos nossos filhos

Há alguns anos, conversando com uma professora alemã que dava aulas particulares para alunos abastados de São Paulo, fiquei encafifado com um dos seus comentários. Ela relatou que achava estranho entrar em casas enormes, às vezes mansões, e não encontrar bibliotecas para os adultos e para as crianças. A professora me contou que era filha de operários e que, na rua em que morou, numa pequena cidade alemã, todos tinham nas suas casas bibliotecas para os adultos e, pelo menos, uma estante para abraçar os livros infantis.

Pesquisas recentes dão conta de algo que já é sabido intuitivamente há muito tempo: famílias que têm mais livros em casa favorecem o desempenho escolar dos filhos. É evidente que somente ter o livro não ajuda, é preciso ressuscitá-lo. Ler em voz alta para os filhos é construir pontes entre a escrita e o ouvido infantil, desejoso de fantasia.

Nos meus encontros com pais em escolas e no mundo, sempre ouvi alguns reclamando do preço alto dos livros, uma das justificativas para a não formação de uma pequena biblioteca familiar. Nessas ocasiões, sempre pergunto quanto dinheiro foi gasto no último celular que o filho de nove anos ganhou, ou quanto se pagou pelo último par de tênis com molas supersônicas. Às vezes, imagino que a criança é uma centopeia, tamanha quantidade de pares de tênis que possui.

A lista de gastos com os pimpolhos é extensa: figurinhas, brinquedos, roupas, eletrônicos variados etc., mas, quando vem um pedido extra da escola ou da própria criança por um livro, às vezes é aquele rebuliço. O que está por trás desse processo é a importância que damos aos livros. O que eles têm a nos oferecer?

Lembro que, quando minhas filhas nasceram, já tinha uma quantidade enorme de livros em casa. Desde bebês, elas manuseavam os livros e ouviam as vozes dos pais contando histórias de centenas de páginas coloridas. Quando começaram a engatinhar, as duas pegavam os livros com dificuldade, davam marcha à ré para sentar em nossos colos e ouvir as histórias. Descobriram desde cedo que o livro fazia com que os pais parassem o que estavam fazendo para lhes dar atenção e pronunciassem palavras diferentes das do cotidiano, palavras que contavam histórias, com outro cheiro e ritmo. Além disso, o livro ainda fazia com que ficassem mais juntinhas dos pais. Ler uma história para um filho é um ato de amor.

Um poeta já disse que o livro é um brinquedo que nunca se gasta, carrega dentro dele a memória de nossos encontros secretos ou compartilhados. Quando nossos filhos crescerem, vão se lembrar de algumas das histórias de suas bibliotecas ou estantes, e junto das narrativas estarão grudados afetos inquebrantáveis, ligados à nossa presença em sua vida.

Queria concluir com uma ressalva: ser leitor não é a salvação da lavoura, a chave perfeita para um mundo melhor. Aliás, muitas atrocidades foram cometidas também por sujeitos cultos e leitores. Porém aquele que se torna um leitor competente mais consciência tem dos seus atos; por conseguinte, mais responsável é por tudo o que faz. Espero que nossos filhos leiam o mundo e decidam trilhar os melhores caminhos.

# O ventre da alma

Outro dia, soube que meu nome surgira em um debate acalorado sobre contação de histórias e mediação de leitura, ou seja, ler em voz alta para as crianças. Um grupo dizia que eu era a favor dos contadores de histórias e criticava a leitura em voz alta; o outro dizia que eu não era contra a mediação, muito pelo contrário, havia trabalhado por anos com leitura em voz alta pelo Brasil inteiro. Os argumentos para falar das minhas ideias eram palestras que eu proferira, ou seja, ouviram da minha boca tal e qual defesa. Ouvir tudo isso me fez tentar lembrar se eu fizera alguma afirmação categórica sobre tais assuntos. Conclusão: não.

Lembrei-me, então, de diversas ocasiões em que pessoas ouviam o mesmo discurso de um palestrante e chegavam a conclusões totalmente opostas. "Tenho certeza de que ele falou amarelo!", "Você está enganado, ele falou vermelho!". Ou seja, ouvimos muitas vezes o que queremos ouvir, peneiramos as palavras de acordo com as nossas experiências, com nossas expectativas. Retemos na memória – *o ventre da alma*, como dizia Santo Agostinho – aquilo que faz sentido à nossa psique, rejeitando o conteúdo que contradiz nosso pensamento e coração.

Tais erros de interpretação são motivo de muitas discussões e brigas mundo afora. Isso me lembrou de um antigo conto árabe em que um professor começa a interpretar o sentido das palavras de um poeta muito famoso no meio de uma praça pública. Um velho estrangeiro levanta a mão e diz: "Discordo completamente dessa interpretação". O professor, olhando o velho com desprezo e soberba, pergunta: "Quem é o senhor para falar desse magnífico e inigualável poeta?". "Eu sou o poeta de quem você está falando".

Essa reflexão vale para os nossos filhos. Será que eles entendem exatamente o que estamos falando para eles? Muitas vezes, não. A compreensão pode surgir tempos depois que passamos a mensagem ou ser negada pela memória deles, tudo depende de inúmeros fatores: maturidade, interesses pessoais, vivências reais e psicológicas etc.

O que sei é que um belo canal de comunicação com a memória infantil, muito eficaz e profundamente marcante, está concentrado nas boas histórias contadas e lidas para eles. Existe algo na literatura que faz com que nossa memória a abrace de forma diferente do que quando passamos uma comunicação formal.

Para finalizar, queria dizer que acredito de verdade em uma parceria entre contadores de histórias e mediadores de leitura. Contar e ler histórias para crianças e jovens são ferramentas fundamentais e poderosas para aproximá-los do mundo das palavras e de sua morada, os livros. Como diria Cecília Meireles: "O gosto de contar é idêntico ao de escrever – e os primeiros narradores são os antepassados anônimos de todos os escritores".

# Sonhos

Uma das histórias bíblicas de que mais gosto está umbilicalmente ligada ao tema dos sonhos. José, filho de Jacó, era um sonhador de primeira grandeza. Através dos sonhos, ele enxergava o que os outros não conseguiam perceber de olhos abertos. José foi levado à escravidão e, depois, à liberdade por causa dos seus sonhos, que sempre revelavam uma verdade – e, exatamente por isso, ora complicavam a vida do jovem pastor, ora o salvavam das maiores enrascadas.

Aprendi na faculdade de Psicologia que uma das funções dos sonhos é manter o sonhador dormindo. Outra, é abrir um portal, que durante o dia se mantém trancado, para um mundo gigantesco e rico de informações emocionais sobre a nossa vida.

Os antigos davam muito valor ao mundo onírico. Destinos individuais e de nações inteiras foram alterados por interpretações dadas aos mais diversos sonhos. Os gregos consideravam o sonho, Morfeu, uma divindade, filho de Hipno, o sono. Morfeu era responsável por povoar a noite dos sonhadores com imagens de seres humanos.

É fácil cair numa seara mística quando falamos desse tema, mas não enxergo o mundo onírico dessa forma. Os sonhos possibilitam autoconhecimento. Quanto mais adentramos no misterioso mundo da nossa própria mente, mais instrumentos temos para compreender nosso cotidiano, com suas relações interpessoais, seus desejos e suas frustrações – isso, com certeza, nos habilita a intuir sobre o futuro.

Escolhi escrever sobre esse tema depois de ler um artigo de um neurobiólogo no jornal, afirmando que nossa civilização está desaprendendo a sonhar. Concordo plenamente com ele. Os sonhos, pelos quais tanto ansiamos e de que tanto precisamos, vêm sendo substituídos por uma avalanche de estímulos externos veiculados na TV, no cinema e na internet.

É claro que sempre houve produtores externos de sonhos, ou seja, fabricantes de ficção. Os contadores de histórias são um exemplo disso, assim como os escritores, romancistas, dramaturgos etc. Acontece que esses fabricadores de devaneios nos presenteavam com histórias possuidoras de um ritmo narrativo que proporcionava uma conexão com nossos sonhos noturnos. Atualmente, o ritmo narrativo é tão acelerado que não nos dá tempo de entrarmos na ficção alheia. Nós a experimentamos de forma intensa, rápida e efêmera, já esperando sermos capturados pela próxima ficção veloz e furiosa.

Ao ouvir uma história oral, ler um livro, assistir a uma peça de teatro, ver um filme que não parece um videoclipe, somos coautores da ficção que consumimos, deixamos de ser simples espectadores e passamos a ser produtores de sonhos.

As crianças têm sonhos muito interessantes, divertidos, misteriosos, reveladores. Proporcionem momentos para seus filhos em que esse mundo fantástico seja enriquecido e compartilhado em família.

# 15 histórias para contar antes de eles crescerem

Depois que criei a lista "40 coisas para fazer antes de eles crescerem", decidi fazer outras, que acredito serem de suma importância para a infância. Nesta, o foco será na história de boca, ou seja, aquela que usa apenas nossa presença física para compartilhar narrativas orais. Esse momento é único e inigualável. Desligar os fios da tomada, os botões dos *gadgets* e estar por inteiro diante dos filhos para contar histórias é uma das experiências mais enriquecedoras. Vamos à lista dos contos que não podem faltar:

**1.** *Chapeuzinho vermelho.* Clássico dos clássicos. Uma história simples e repleta de simbolismos. E nada de mudar a melhor parte, em que a barriga do Lobo é aberta e a protagonista é resgatada junto com a avó.

**2.** *Os três porquinhos.* Soprar, soprar e soprar com as meninas era a melhor parte da história aqui em casa.

**3.** *Rapunzel.* O filme *Enrolados* é bacana, mas vale a pena buscar esse conto escrito pelos Irmãos Grimm. As crianças são corajosas e seguram bem essas versões mais intensas.

**4.** *O leão e o ratinho.* As fábulas de Esopo são curtas, bem reflexivas e deliciosas de contar. Dica: não precisa ler a moral no final, deixe as crianças falarem a respeito. Você ficará surpreso com o que ouvirá.

**5.** *A moura torta.* Contos brasileiros são essenciais, mostram que também temos lindas e poderosas narrativas. Esse foi um *hit* aqui em casa por um bom tempo.

**6.** *Histórias do Saci.* Pesquise contos sobre ele e narre para seus filhos – boas risadas nascerão desse encontro.

7. *A madrasta e a figueira.* Outro *hit* aqui em casa. Um conto brasileiro que não deixava as meninas piscarem os olhos, tamanha a fascinação.

8. *O patinho feio.* O autor dinamarquês Hans Christian Andersen tem de fazer parte da infância das crianças. Ele explora sem medo os sentimentos de abandono, rejeição, tristeza, sempre com histórias lindas.

9. *A bela e a fera.* O filme da Disney é muito bacana, mas conhecer a versão de Jeanne-Marie Leprince de Beaumont vai mostrar para as crianças onde a versão cinematográfica se inspirou.

10. *João e Maria.* Outro clássico. As crianças amam essa narrativa fabulosa e compreendem profundamente sua essência: coragem, persistência, derrotas e vitórias.

11. *Cachinhos dourados.* Os bem pequenos são loucos por essa história.

12. *Cinderela (A gata borralheira).* A versão dos Irmãos Grimm tem passagens fortes, mas, novamente, as crianças são corajosas.

13. *Os sete cabritinhos.* Outro conto que os bem pequenos amam.

14. *Branca de Neve.* Não foi à toa que Walt Disney escolheu essa história para ser seu primeiro filme de animação, um marco do cinema. Vale a pena contar a versão dos Irmãos Grimm e depois papear sobre as diferenças.

15. *A princesa e a ervilha.* Um dos meus contos preferidos de Andersen: curto, singelo e engraçado.

# Como nasce uma história?

Quando tinha oito anos, fiz uma viagem com a minha família para Buenos Aires. Eram as férias que mais amava no mundo, junto dos meus avós, tios e primos que moravam por lá. Quando voltávamos, sempre trazíamos um pouco da Argentina na mala: os famosos alfajores e doces de leite de cinco quilos que eu e meu pai comíamos de madrugada, às colheradas.

Naquela viagem, trouxemos tudo isso e uma tartaruga! Contrabandeada em uma sacolinha de papelão, ela ganhou o nome de Manuelita – homenagem a um dos personagens mais famosos de Maria Elena Walsh, uma das mais importantes escritoras e compositoras argentinas dedicadas à infância.

A tartaruga era pequena, comia alface – imagem que me fascinava, aquela boquinha mastigando sem parar aquela folha verde. No começo, vivia em um cercadinho de madeira. Depois, decidimos deixá-la solta pelo apartamento.

Certa tarde, depois de chegar da escola, larguei minha mochila no meio da sala (confesso, era bagunceiro) e fui correndo para o banheiro, quando... *Plaft!* Pisei na Manuelita! Na hora, vi a tartaruga se encolhendo toda, patas, cabeça... Isso já havia acontecido outras vezes, mas daquela vez a pisada tinha sido forte.

Peguei Manuelita na mão, fiz carinho no casco, *toc, toc*, passei água nela. Nada adiantou. Como das outras vezes, ela demoraria um pouco para sair. Deixei-a num canto e fui fazer as minhas coisas.

Passei a tarde inteira olhando minha lição e a Manuelita, a televisão e a Manuelita, meu lanche e a Manuelita. No final do dia, um aperto começou no meu peito e uma tristeza forte invadiu todo o meu corpo. Estava com vontade de chorar. Respirei fundo, liguei para o trabalho da minha mãe e desabei:

"Mami, matei a Manuelita, juro que foi sem querer, matei ela". O choro saía em profusão.

Minha mãe chegou. A cara dela ao ver Manuelita não foi das melhores, a coisa era séria. Manuelita ficou dois dias inteiros dentro do casco. Quanta tristeza! Preparei o enterro dela e, quando estava tudo pronto para a cerimônia, ela começou a se mexer, como que vinda do além das tartarugas.

O incrível dessa história é que eu a esquecera completamente. Depois de dez anos, ela reapareceu em uma história que inventei para crianças pequenas e que viraria um livro chamado *O pó do crescimento*. Minha mãe, quando leu, só dizia: "Você não lembra da Manuelita?".

Lembrava tanto que tive de esquecer para relembrá-la anos depois em uma história inventada, mas que carrega a culpa e o alívio de um menino de oito anos que amava sua pequena tartaruga Manuelita.

# O franciscano

Tenho paixão pela mitologia universal. Já escrevi alguns livros recontando mitos de várias partes do mundo. Para mim, o mito reafirma um fio que une cada membro da nossa comunidade, em qualquer tempo e local da Terra. É impressionante como nos parecemos, principalmente por dentro. É isso que as histórias ancestrais têm de mais rico: são um grande espelho da alma humana.

Os mitos nasceram da necessidade do homem de explicar o inexplicável, dar sentido à vida. Os antigos viam uma aranha, mas não conheciam o Discovery Channel nem a teoria de Darwin. De onde viria, então, esse animal que tece tão belamente? O mito de Aracne resolveu a questão, uma bela história que mostra a origem das aranhas e junto carrega toda a psique humana.

Não só a natureza que o homem enxergava trazia inquietações, que eram quase sempre resolvidas com os mitos (de onde vieram as estrelas, o sol, a lua, o mar, o vento...), os sentimentos também eram intensos, muito semelhantes aos nossos: amor, ódio, raiva, ciúme, compaixão, ansiedade... Antigamente, também se sofria de depressão, de tristezas profundas, mas não se conheciam Freud, Jung, nem os antidepressivos.

O mundo dos fenômenos naturais foi sendo gradativamente dominado pelos homens, e os mitos foram perdendo espaço para a compreensão científica. Entretanto, sempre me chamou a atenção o fato de que ainda buscamos explicações transcendentais para acontecimentos ao nosso redor. Até nas brincadeiras mais simples, como "sua orelha ficou vermelha, porque alguém está falando mal de você", e nas situações pessoais, como "o meu namoradinho do jardim da infância pediu para ser meu amigo no Facebook". É o destino!

Sempre tentei racionalizar, compreender os fatos como um acaso, mas confesso: acontecem coisas comigo que até os deuses duvidariam.

Este texto nasceu exatamente de um fato bem estranho. Lendo um livro chamado *Escritos sobre ciência e religião*, de Thomas Henry Huxley, numa cadeira do aeroporto de Congonhas, à espera de um voo, um frei franciscano de chinelo de couro e hábito marrom passou na minha frente, bem na hora da leitura mais acalorada sobre os efeitos da fé e da ciência. Parecia um sinal, que queria dizer: "Seu incrédulo, não adianta adorar a ciência, a religião é mais importante". Rapidamente, ri daquela ideia, pura coincidência.

Depois de dez minutos, o frei reapareceu do nada e se sentou bem ao meu lado. E ainda não terminou: ele abriu sua pasta de couro simples e tirou um *tablet* de última geração. Na hora, tive uma epifania e pensei: "A ciência e a fé estão sentadas ao meu lado!". Isso não podia ser coincidência.

Brincadeiras à parte, você já deve ter ouvido falar que são justamente histórias como essa que aguçam a curiosidade científica das crianças. Daí a importância de contar nossas grandes narrativas ancestrais, que são uma conexão direta com o passado e com o futuro. É o jeito de elas entenderem o mundo – e o nosso também.

# Milagre

Acabo de sair de um encontro com jovens de 13 e 14 anos. Auditório lotado. Fiquei uma hora e meia conversando com eles sobre livros, leituras e literatura. Houve muitas perguntas, reflexões, sustos (contei duas histórias de arrepiar), risadas, enfim, uma delícia de encontro com uma longa fila para autógrafos no final.

Depois que o auditório esvaziou, a direção da escola, os coordenadores e professores, todos com sorrisos estampados no rosto, disseram: "Você realizou um milagre, nunca vimos uma turma desse tamanho e dessa idade tão concentrada, hipnotizada e interessada! E olha que o assunto era literatura!".

Na hora em que ouvi a palavra "milagre", veio à minha cabeça a imagem de um profeta de barba longa, andando sobre a água, ressuscitando criaturas inanimadas (mas garanto que não era o caso dos jovens ouvintes); algo sobrenatural rondava a tal palavra.

Entrando no meu carro, em direção ao compromisso seguinte, fiquei pensando sobre o que tinha acontecido. Há muitos anos falo com adolescentes, e nunca fiquei intimidado nessas situações. Sempre entro desarmado para papear com eles, sem aqueles clichês básicos arranhando meu cérebro: eles são indisciplinados por natureza, são desinteressados de tudo, só pensam em besteira (pensam bastante, mas não sempre), só querem saber de coisas supérfluas etc.

O que eu tinha feito nessa escola, e em muitas outras pelo Brasil, foi entrar para a conversa sem subestimar a inteligência deles e o desejo que qualquer ser humano tem de ouvir histórias. Construí nesse auditório, e em outros tantos que frequentei, pontes geracionais, uma comunicação direta entre minha experiência profissional e de vida com a experiência deles.

O momento de vida de um adolescente não é fácil. Ele se fantasia com aqueles clichês que citei como uma forma de proteção contra as erupções internas que abalam sua identidade em formação. Na minha adolescência, lembro como as narrativas ficcionais foram fundamentais para escoar as lavas incandescentes que queimavam minha alma. Por que não seria assim com os jovens atuais?

Lembro de uma visita que fiz a uma escola da periferia de São Paulo, onde falei com jovens de 14 anos sobre minha vida de escritor, contei algumas histórias e respondi a inúmeras perguntas interessantes e engraçadas. No final do encontro, formou-se uma fila para pegar dedicatória num dos meus livros. Um dos jovens, depois de acompanhar minha dedicatória, cochichou para mim: "Ilan, posso te pedir uma coisa?". "Pode falar", respondi. Ele olhou nos meus olhos e disse: "Por favor, me indica um livro que vai mudar a minha vida". Isso sim é um milagre, na concepção original da palavra: digno de *mirare*, admirar.

# 15 livros que não podem faltar na vida dos filhos

Após a última lista que preparei ("15 histórias para contar antes de eles crescerem"), compartilho agora leituras imprescindíveis para a vida de nossos filhos. A leitura em voz alta é de extrema importância na formação integral das crianças. Percebemos rapidamente a diferença entre as que foram banhadas com bons textos na infância e as que, por inúmeros motivos, não tiveram a mesma oportunidade. Ler para nossos filhos é estreitar laços afetivos com eles, além de inseri-los no mundo do conhecimento, da cultura e da criatividade. A seguir, a lista de alguns títulos que não podem faltar:

1. *Adivinha quanto eu te amo,* Sam McBratney. Leitura afetuosa, para ser realizada grudadinho neles.

2. *Não confunda,* Eva Furnari. Escrito e ilustrado por uma das minhas autoras preferidas. Boas risadas brotaram.

3. *Brasileirinhos*, Lalau e Laurabeatriz. Crianças amam poesia. O livro é uma bela iniciação ao mundo poético.

4. *Tanto, tanto!,* Trish Cooke. Uma história apaixonante. Enredos que as crianças decoram juntamente com os pais. A diversão é garantida.

5. *Meus porquinhos,* Audrey Wood. Os pequenos deliram com essa publicação.

6. *Agora não, Bernardo*, David McKee. Alguns pais se assustam com esse livro, já as crianças adoram. Caso seu filho tenha medo, enfrente esse sentimento com ele.

7. *Flicts*, Ziraldo. Um clássico do autor.

8. *A pequena toupeira que queria saber quem tinha feito cocô na cabeça dela*, Werner Holzwart. Foram infindáveis risadas com minhas filhas. Garanto que os pais vão se divertir também.

9. *Quero meu penico!*, Tony Ross. O escritor e ilustrador inglês é um dos autores preferidos da minha caçula. Ele capta as singelezas da infância.

10. *Menina bonita do laço de fita,* Ana Maria Machado. É um dos meus textos preferidos.

11. *Armazém do folclore*, Ricardo Azevedo. O autor fez uma coletânea brilhante para as crianças: contos, ditados, quadras e adivinhações que podem ser saboreados por pais e crianças.

12. *Marcelo, marmelo, martelo,* Ruth Rocha. A autora é de uma sensibilidade ímpar. Leia para seu filho e confira.

13. *Reinações de Narizinho,* Monteiro Lobato. Clássico que deve ser compartilhado em diversas fases da vida.

14. *Zoom,* Istvan Banyai. Livro de imagem, sem palavras, mas que surpreende toda a família.

15. *Onde vivem os monstros*, Maurice Sendak. Outro clássico, com ilustrações belíssimas.

# Você gosta de colorir?*

Há alguns anos, viajei com minha família para o exterior. Lá, encontramos em uma papelaria um setor repleto de livros com mandalas para colorir e compramos alguns para as meninas. Elas passaram um bom tempo colorindo esses livros. De vez em quando, chamavam a gente e, juntos, íamos preenchendo as figuras. Eram momentos prazerosos, relaxantes, nos quais a mente ficava serena e, ao mesmo tempo, focada no ato de preencher os vazios.

Minhas filhas, ainda hoje, adoram desenhar, muito mais de forma espontânea, criando figuras e traços, do que preenchendo figuras diagramadas. Vejo nisso um avanço, já que exige mais da mente infantil, da sua capacidade criativa, de se jogar em um papel em branco sem medo do olhar do outro e da própria autocrítica. Elas começam um desenho, mas nunca sabem como vão terminá-lo, e isso é muito diferente de colorir vazios.

Fiz essa digressão porque estou impressionado com a avassaladora entrada dos livros de colorir para adultos no mercado editorial brasileiro. Em uma lista divulgada dos livros mais vendidos de não ficção no país, nove entre dez são de colorir! O que pode significar isso?

Nada contra colorir livros – contei acima minha experiência a respeito –, mas vejo nesse processo curioso uma infantilização do mundo adulto. Andamos estressados, com falta de tempo, correndo sempre atrás do prejuízo (contas a pagar, encontros a realizar, trabalhos a entregar, filmes a assistir).

---

* Este texto foi escrito quando os livros para colorir começaram a aparecer nas listas dos mais vendidos para adultos em vários países ao redor do planeta. Hoje (2021), eles já não fazem mais parte dessas listas, mas acredito que, em algum momento, algo muito parecido volte a ocorrer.

O mundo adulto sempre buscou formas de distensionar essa rotina, às vezes brutal, que nos assola diariamente. Fazemos ginástica, saímos para beber com os amigos, jogamos futebol, vemos televisão com a mulher e vice-versa, enfim, buscamos válvulas de escape para a tensão cotidiana. A leitura de livros faz parte também dessa busca por um distanciamento da realidade, ela nos proporciona um sobrevoo ao redor de diversos mundos (distantes e próximos, às vezes, microscópicos).

Quando milhares (talvez milhões) de adultos trocam a leitura de um livro por colori-lo, podemos pensar que existe uma necessidade premente de produtos culturais que não exijam ainda mais esforço da já extenuada sociedade. Estamos cansados. Entretanto, em vez de questionarmos por que deixamos nossa vida chegar a esse ponto de ebulição – e, assim, tentarmos modificá-la ou pelo menos diminuir sua tensão –, preferimos colorir. A minha preocupação é a troca do ato de ler pelo ato de colorir. A leitura é uma caminhada rumo ao topo de uma montanha. Ela exige certa preparação. A trilha é permeada por imprevistos (quedas, avalanches, encontros inusitados, visões inesperadas etc.), cansaço, desânimo, entusiasmo ao ver o topo se aproximando. Ao chegar lá, estamos diferentes, por fora e por dentro, de quando começamos a jornada.

A experiência leitora amadurece e nos torna donos do nosso destino, exige que sejamos responsáveis por nossos atos e dizeres. Colorir nos remete ao período infantil; nada contra, muito pelo contrário, conviver com a nossa criança interior é uma experiência enriquecedora, mas deixá-la assumir nossa vida adulta é problemático.

# Mastigação

Quando minhas filhas eram bebês, tive a oportunidade e o privilégio de preparar a famosa papinha para alimentá-las. Era um momento delicioso e terno. Aliás, escrevi um livro sobre essa época: *Hora do almoço*, ilustrado por Ionit Zilberman.

Quando os dentes delas começaram a aparecer, o pediatra aconselhou oferecer algumas comidas sólidas, como pedaços de cenoura, pepino, a fim de estimulá-las a mastigar. Ou seja, primeiro, somos os dentes dos nossos filhos, mastigamos por eles, amassamos o alimento por eles, depois, aos poucos, eles vão aprendendo a mastigar por conta própria.

Vamos imaginar se, em vez de seguir o conselho do pediatra, continuássemos a mastigar pelos nossos filhos. O que aconteceria? Provavelmente, os dentes deles cresceriam fracos, a musculatura em volta do maxilar ficaria flácida, caída.

Mas por que estou falando sobre papinhas e mastigação? Porque percebo que, a cada ano que passa, mais pais continuam mastigando pelos filhos – mesmo eles já possuindo dentes fortes e afiados. Estou falando sobre autonomia para experimentar, para comer diariamente os fatos da vida. Facilitando demais a rotina dos nossos filhos, não permitimos que exerçam a ação vital de experimentar o mundo com seus próprios esforços.

Quero exemplificar minha reflexão no meu campo de atuação: a literatura.

Vejo muitos pais e educadores buscando uma literatura mais mastigada, mais fácil para seus filhos e alunos, acreditando que as crianças não sejam capazes de se alimentar de algo mais consistente, que peça mordidas e esforços intensos. É esse esforço que fará a musculatura simbólica da criança se fortalecer.

Mas você pode perguntar, e as palavras difíceis que aparecem nos livros, não é melhor usar apenas repertórios já conhecidos? Respondo contando outro "causo" familiar.

Lembro-me de uma cena da minha esposa com nossa filha. Ela estava olhando a pequena, que, na época tinha cinco meses. De repente, a bebê fez um som do tipo "bubbb". A mãe rapidamente respondeu: "É mesmo?". E a bebê continuou: "Bubb Ba". A mãe seguiu com o diálogo: "Não, não acredito, que mais...?".

Olhando racionalmente tal cena, poderíamos nos perguntar por que essa mãe está falando com esse bebê, se ele não entende nada. Ainda bem que as mães fazem isso intuitivamente, já que é por causa dessa ação que a criança vai aprender a falar. Portanto, não mastiguem tanto pelos seus filhos. Deixem que se deliciem com a carne suculenta e saborosa da linguagem humana.

Para concluir, quero citar Carlos Drummond de Andrade:*

*A linguagem*
*Na ponta da língua,*
*Tão fácil de falar*
*E de entender.*

*A linguagem*
*Na superfície estrelada de letras,*
*Sabe lá o que ela quer dizer?*

*Professor Carlos Gois, ele é quem sabe,*
*E vai desmatando*
*O amazonas de minha ignorância.*
*Figuras de gramática, esquipáticas,*
*Atropelam-me, aturdem-me, sequestram-me.*

*Já esqueci a língua em que comia,*
*Em que pedia para ir lá fora,*
*Em que levava e dava pontapé,*
*A língua, breve língua entrecortada*
*Do namoro com a prima.*

*O português são dois; o outro, mistério.*

* Poema "Aula de português".

## Para onde você olha

Numa cidade próxima a Praga, na atual República Tcheca, uma mulher fiel aos preceitos religiosos e de fé inabalável andava muito preocupada com sua família. O marido havia morrido na guerra e ela tinha de sustentar sozinha os cinco filhos. Arranjar um trabalho era muito difícil e todas as economias da mulher foram minguando, até desaparecerem.

Certa manhã, ela acordou e viu que não tinha nada para oferecer de almoço aos filhos. Sem esmorecer, saiu de casa e começou a rezar em voz baixa. Não tardou muito e, de repente, uma gorda galinha apareceu como por um milagre à sua frente. Rápida, saltou no pescoço da ave e o agarrou. Como era muito religiosa, resolveu levar a galinha ao rabino da cidade, para ver se o animal podia ser abatido conforme as leis. Ao bater à porta, o rabino abriu, olhou o bicho e perguntou:

– O que a senhora deseja?

– Eu quero saber se essa galinha está pura para ser abatida conforme as leis – disse a mulher, com ar ansioso.

O rabino retirou a ave das mãos dela e falou:

– Espere aqui, já volto.

Dirigiu-se ao escritório, chamou a esposa e pediu que ela segurasse a galinha, contando o pedido daquela mulher que o esperava na sala. Com muitos livros abertos, ele começou examinar o bicho: o pescoço, as patas, o bico, as asas... Não deixava passar nada. Depois de uns bons minutos, o homem disse à esposa:

– Devolva a galinha para a mulher e diga que ela está impura, não pode ser abatida e consumida.

A esposa do rabino pegou a ave, foi à sala e viu a senhora simples que a esperava.

– E qual é o resultado? Posso levar a galinha para alimentar meus filhos? – perguntou a mulher, já bastante ansiosa.

– É claro que pode, faça um belo almoço para eles – disse a esposa do rabino, passando o animal para a dona.

O rabino ouviu a resposta lá do escritório. Furioso, foi correndo para a sala, mas a senhora já havia "voado" para casa.

– Mulher, você enlouqueceu? Acabei de falar que a galinha estava impura e você disse para aquela pobre criatura que poderia comê-la! – gritou.

– Posso explicar por que fiz isso?

– É o que mais quero! – esbravejou o marido.

– Acontece que, desde a chegada dessa mulher, você só olhou para a galinha e para os livros, para os livros e para a galinha. Eu, meu amado esposo, olhei somente para o rosto desesperado de uma mãe querendo alimentar seus filhos.

O rabino ficou mudo, a fala da mulher calara fundo em sua alma. Ele havia aprendido que a sabedoria está muito além das leis e dos livros.

# Cinderela

Quando comecei a trabalhar com crianças, há mais de 20 anos, sempre soube que a observação da dinâmica infantil me daria elementos consistentes para a compreensão da infância. A teoria estudada, às vezes, era comprovada, ou refutada, de acordo com as conclusões que eu tirava. Conto isso porque novamente vivenciei uma experiência que comprova algumas teorias que venho construindo ao longo de anos. Ao me tornar pai de duas meninas, essas observações se intensificaram não somente em ambientes profissionais (creches, hospitais, escolas), como também nas milhares de horas com elas em parquinhos, teatros, livrarias etc.

O que quero contar aconteceu no cinema. Quando minha esposa disse para vermos *Cinderela*, confesso que não fiquei com vontade. O último filme que víramos tinha sido *Operação big hero*. A família adorou. Provavelmente, *Cinderela*, uma história manjada, não acrescentaria nada à minha filmografia. Ainda bem que fui! E ainda bem que levei meus sobrinhos – o pequeno, de quatro anos, a irmã, de seis –, além de minhas filhas.

O filme começou e parecia que um vapor hipnótico invisível tomara conta do espaço, dava para sentir a respiração dos espectadores. Minhas filhas, que não param de falar durante os filmes, estavam petrificadas, e minha sobrinha, que não piscava, fazia comentários pontuais: "Ela é linda!"; "Elas são feias!" (para as irmãs postiças). Quando o príncipe encontrou a Cinderela e estava prestes a pôr o sapatinho de cristal no seu pé, ela disse: "É muito lindo, eu vou chorar". E assim o fez. Um choro emocionado, intenso. Olhei para os lados; crianças e adultos choravam. O filme acabou com o cinema explodindo em palmas.

A versão que a Disney produziu é tradicional. Não houve uma adaptação aos tempos modernos, invertendo papéis, questionando a família nuclear ou a posição da mulher no mundo patriarcal. Gosto muito de filmes e livros que fazem essa inversão, pondo em xeque esses papéis de forma inteligente, mas o que ocorreu nessa sessão de cinema demonstra que os clássicos infantis são muito mais profundos do que alguns imaginam.

Uma boa história é como uma cebola, tem várias camadas e, às vezes, faz a gente chorar. A estrutura narrativa de Cinderela é muito, mas muito antiga mesmo. Encontrei uma versão egípcia, na qual a protagonista perde o sapato quando uma águia o rouba e o faz cair na cabeça de um rei, que começa a procurar a dona.

Outra versão é a chinesa, do século 9 d.C., 800 anos antes de Charles Perrault publicar a sua na França. Na história chinesa, a protagonista mora com a mãe, a segunda esposa do pai e a filha dela. Quando o pai e a mãe morrem, a jovem passa a ser criada e maltratada pela madrasta e pela meia-irmã. Ao receberem um convite para o grande baile de um nobre, ela é proibida de ir. Na versão chinesa, a fada madrinha é trocada por um espinho de peixe, mágico, que produz um lindo vestido e um par de sapatos dourados. No baile, a moça se apaixona pelo nobre e é correspondida, mas tem de fugir ao ser avistada pela madrasta. Na fuga, um dos sapatos cai e o nobre começa sua busca.

Muitas versões circularam pelo mundo até que, finalmente, Perrault, em 1697, tornou essa história um clássico no livro *Contos da mamãe gansa*. Aliás, essa é a base para a Cinderela da Disney, já que os Irmãos Grimm fizeram sua versão em 1812, com passagens mais violentas. Sempre digo que algo que não tem qualidade no mundo cultural não dura muito. Conseguimos ainda nos deliciar com produções artísticas milenares – pinturas, esculturas, poemas, músicas, contos etc. –, isso porque elas ainda falam diretamente ao coração humano, ecoando nossos mais profundos sonhos e pesadelos. É disso que tratam Cinderela e tantos clássicos infantis.

## Mostrar ou não mostrar? Eis a questão...

Num intervalo de poucos dias, ouvi da boca de pais dois modos opostos de lidar com a educação dos filhos. Na primeira conversa, pai e mãe diziam que queriam preservar ao máximo a infância. Entendiam que fariam isso afastando da filha tudo aquilo que acreditavam que pudesse frustrá-la e, principalmente, amedrontá-la. Esses pais manifestavam o desejo de a filha só experimentar um cotidiano prazeroso, criativo e calmo.

Na segunda, um pai pegou um livro que escrevi para jovens junto com a jornalista Heidi Strecker, chamado *Silêncio: Doze histórias universais sobre a morte*, e me perguntou: "O que você acha de eu ler essas histórias para minhas filhas pequenas?". Fiquei meio desconcertado com a pergunta e joguei a questão de volta para ele: "O que você acha de ler essas histórias para elas?". Ele respondeu que não escondia nada das meninas. Elas viam galinhas sendo degoladas no sítio do avô. Não gostavam da cena, mas depois se lambuzavam com o frango caipira. Ou seja, ele não via problema nenhum em ler histórias sobre a morte para as filhas pequenas.

Quem está correto? Os pais que blindam a infância ou aqueles que a escancaram? Primeiro, quero dizer que entendo muito bem você, pai ou mãe. Faço parte da espécie, e sei que tentamos sempre acertar e o que fazemos é com o intuito de ajudar nossas crias a crescerem. Porém vivemos numa época complicada. Nunca houve tantos forasteiros querendo nos ensinar a criar nossos filhos. Nosso tempo é a era dos especialistas! Os pais contemporâneos têm medo de acreditar nas suas intuições. Somos compelidos constantemente a acreditar que não somos capazes de educar nossos filhos sem a ajuda de manuais e oráculos psicopedagógicos que orientem nossa forma de lidar com nossos rebentos.

Na minha experiência de filho e pai, de alguém que convive com a infância e produz literatura para ela, fico mais próximo do segundo pai, aquele que, com serenidade, não via problema em tratar de assuntos que interessam à infância, como a morte. É evidente que temos de ter bom senso. Falei isso para o pai que relatou sobre as galinhas degoladas. Cada criança é um universo singular e reage de forma diferente a experiências diferentes.

Blindar a infância como os primeiros pais estavam tentando fazer é deixar a filha mais enfraquecida perante a vida. É como aqueles pais que não querem que os filhos se sujem. A limpeza e o contágio viram obsessão. Resultado: crianças fragilizadas, alérgicas, que pegam mais doenças que as outras. Isso vale também para o mundo simbólico, pois a cultura criou produções artísticas maravilhosas para fortalecer a alma infantil, e elas têm como personagens e temas bruxas, monstros, medo, morte, além de, é claro, princesas e afins. Tudo isso faz parte do desenvolvimento saudável da infância.

Pai, mãe, acredite mais na sua intuição, observe mais os seus filhos, lembre-se da sua infância, do que gostava, do que não gostava, ouça mais os seus filhos e não tenha medo de tomar decisões.

## As crianças não gostam das versões amenas, elas anseiam por aventura

Numa sociedade cada vez mais acelerada, na qual a infância se vê banhada diariamente com linguagens empobrecidas de sentidos, a literatura, assim como a música e outras expressões artísticas humanas, sucumbem a olhos vistos a uma ideologia mercantilista, "coisificadora" e, principalmente, "politicamente correta".

As cantigas e os livros infantis politicamente corretos querem nos dar respostas. Não incitam desejos, abafam-nos. Querem apaziguamento, e não o pensamento que nasce do conflito de ideias. Buscam esconder, e não desvelar. Têm ojeriza ao mistério, querem o plano, o reto, não o circular, não o espiral.

A literatura infantojuvenil de qualidade não garante a felicidade nem a conquista de bens materiais, mas possibilita que nossa mente se torne mais flexível e livre, capaz de compreender a complexidade do mundo visível e invisível, assim contribuindo para que possamos despertar de uma ilusão devoradora da nossa própria alma.

O ataque às histórias não é uma novidade do mundo contemporâneo. Alexander Afanasev (1826-1871), folclorista russo que coletou os contos da tradição oral de seu povo, teve de mudar à força suas versões dos contos de fadas russos para crianças, pois o sumo sacerdote da igreja local considerava os contos imorais.

Afanasev respondeu ao ataque assim: "Há um milhão de vezes mais moralidade, verdade e amor humano em minhas lendas populares que nos sermões proferidos por Vossa Santidade".

Não sabemos por quanto tempo esses contos vão conseguir resistir a seguidas "limpezas" e "higienizações" executadas por novos autores. As alterações nos contos de fadas não pararam de ocorrer na nossa atualidade. A Baba Yaga russa, nossa familiar e temível bruxa, em algumas versões modernas já não come criancinhas no desjejum, apenas fala sem parar. O Barba Azul, personagem assustador dos contos de Grimm, agora ressuscita suas noivas, aquelas mesmas que ele empalava no quarto proibido.

Versões atuais, preocupadas com a violência, excluem a comilança do lobo, a abertura de sua barriga e a sua morte. Simbolicamente, uma das partes que mais interessam à criança está sendo descartada. Por séculos, os textos dos Irmãos Grimm e de Perrault vêm encantando multidões e nunca ouvimos falar de uma criança que, depois de ouvir *Chapeuzinho vermelho*, tenha saído com uma faca na mão querendo abrir a barriga de alguém.

As crianças não gostam das versões amenas, elas anseiam por aventura, terror, sangue, humor, escatologia, violência, amor etc.

Há anos, circulo pelo Brasil como autor de livros infantojuvenis e existe algo que se repete em todos os espaços que frequento. Quando pergunto às crianças que tipo de história elas querem ouvir, 90% das vezes elas pedem: "Terror! Histórias de terror!". Podemos levantar duas hipóteses: uma é que elas são psicopatas, marginais sanguinárias em gestação; outra hipótese é que demandam histórias de terror porque há algo nesse gênero que se comunica diretamente com o mundo interior delas. Sou favorável à segunda hipótese.

# Coringa *c'est moi*!

Escrevo este texto ainda impactado por umas das melhores atuações que vi nos últimos anos. Joaquin Phoenix está simplesmente arrebatador no filme *Coringa*, de Todd Phillips. Além da atuação magnífica de Phoenix, o filme tem fotografia impecável, trilha sonora ajustadíssima e, principalmente, um roteiro que faz com que mergulhemos na mente psicopática do Coringa. Foi um mergulho de apneia, sim, precisei tomar fôlego algumas vezes para voltar a observar de perto o doentio mundo de Arthur Fleck.

A celeuma causada pela estreia do filme é mais perturbadora do que o próprio. Precisamos ser muito rasos e simplistas para acreditar que um filmão desse é um potencial incentivador de atos criminosos, como se todos fôssemos *gizmos*, aqueles bichinhos fofos que ao serem atingidos por gotas de água se transformavam nos diabólicos *gremlins*. Parece que estamos perdendo a capacidade de compreender metáforas, analogias, ironias. Olhar o filme *Coringa* como produtor de violência é como acusar a faca empunhada pela mão do assassino.

Obras de arte de qualidade, como aquelas chanceladas pelo tempo, dialogam com as nossas profundezas mais sombrias. Não fomentam a escuridão, tentam clareá-la. Os maiores assassinos da história nunca jogaram *Mortal Kombat* (sim, sou dessa geração) ou *GTA*, nunca viram *Rambo*, *Kill Bill* ou *Apocalypse now*, do Coppola. Muitos dos psicopatas que passaram pelo mundo aniquilando seus semelhantes se deliciavam com belas óperas, liam poesia sem uma gota de sangue nos seus versos e alguns até adoravam animais e a natureza. Ou seja, aquele que relaciona um filme, um livro, uma pintura, uma música com o nascimento do mal não entende que o mal já faz parte da natureza humana; a pergunta a ser feita é como podemos transformar esse mal, essa sombra, em luz. E aqui está o grande paradoxo da nossa existência: é somente através de uma visão do inferno que podemos entender o paraíso.

É evidente que *Coringa,* de Todd Phillips, não é um filme para crianças, a classificação é 16 anos. Acreditar que jovens e adultos sofreram uma incorporação do mal ao assistir ao filme é risível, no máximo. Alguns podem odiar, sair no meio da sessão... paciência, isso acontece também nos filmes de Godard. Ou somos indivíduos independentes caminhando para a maturidade ou somos crianças que precisam ser tuteladas por indivíduos e grupos autoritários que acham que sabem mais do que nós mesmos do que precisamos.

A violência existe, ela é real, cruel, mas suas causas são muito mais complexas do que um simples apontar de dedo. Se alguém foi ao cinema e depois cometeu um ato violento, posso garantir que não foi o filme o causador principal. Caso partíssemos dessa premissa, deveríamos proibir tudo! Matou depois de almoçar feijoada, acusem a feijoada! Bateu depois de ouvir *funk*, acusem o *funk*! Somos muito mais complicados do que isso.

O coringa na carta de baralho pode assumir o valor de outras cartas; no futebol, ele também pode assumir a posição de outros jogadores. Isso quer dizer que o coringa representa várias facetas de um mesmo indivíduo. No filme, representa aquela parte da nossa natureza que gostaríamos de enterrar e calar para sempre, mas que renasce em situações cotidianas de estresse social, emocional e que, muitas vezes, aterroriza-nos. Como podemos sentir isso dentro de nós? Filmes, peças teatrais, romances literários são algumas das ferramentas para esse tão essencial autoconhecimento e para a tentativa de sublimação da violência destrutiva em construções sociais e afetivas significativas.

E por que o título deste texto é "Coringa *c'est moi*"? Porque, no século XIX, o autor do clássico universal *Madame Bovary,* Gustave Flaubert, foi acusado juntamente com seu editor de ofensa à religião e aos bons costumes da sociedade francesa, porque sua personagem Emma Bovary era uma mulher independente, inconformada com a vida de casada, que colecionava amantes – um escândalo para a época. Todos queriam saber de Flaubert em quem ele havia se inspirado para construir a Emma Bovary. Ela existia de verdade? Flaubert respondeu: "Emma Bovary *c'est moi*! [Emma Bovary sou eu!]". O autor foi absolvido. Depois da polêmica, o livro vendeu como pão quente, assim como o filme *Coringa*, que terá sessões lotadas e será absolvido pela maioria de seus espectadores, que entenderão consciente ou inconscientemente que a violência é um mal a ser combatido primeiramente dentro de cada um.

# Vacina literária

A história da invenção da primeira vacina no Ocidente é fascinante, além de uma fonte inesgotável de aprendizagem para diversas áreas da atuação humana. Até o final do século XVIII, época da descoberta da primeira vacina no mundo ocidental, doenças transmitidas por vírus e bactérias eram responsáveis por verdadeiras catástrofes, milhões e milhões de vidas perdidas em consequência de ataques de organismos invisíveis aos olhos humanos.

O mundo se transformaria drasticamente com o trabalho de um médico inglês chamado Edward Jenner, que dedicou a vida ao estudo da varíola, doença com índices alarmantes de contágio e mortalidade. Antes de Jenner, a China já conhecia e praticava a "variolação", que era a introdução na pele de pessoas saudáveis do líquido extraído de uma crosta da varíola de um indivíduo infectado. Com esse procedimento, a doença se manifestava de forma menos agressiva do que o normal; ainda assim, isso não assegurava proteção total.

A "variolação" chegou à Europa. Jenner conhecia esse procedimento, mas não estava satisfeito com seus resultados. No fim do século XVIII, ele mergulhou em pesquisas e observações sobre a varíola, até que um dia resolveu investigar uma crença popular entre os camponeses. Tal crença afirmava que as pessoas que trabalhavam diretamente com a ordenha de vacas doentes – doença conhecida como *cowpox* (varíola das vacas) – desenvolviam feridas parecidas com as dos animais, mas, ao mesmo tempo, ficavam protegidas da varíola humana.

Jenner observou atentamente os camponeses e tomou uma decisão ousada, perigosa e revolucionária. Numa manhã de 1796, decidiu colher o líquido contaminado com *cowpox* das feridas de uma ordenhadora chamada Sarah Nelmes. Com o material contaminado em mãos, fez algo inimaginável nos dias atuais, pegou um menino saudável de oito anos, chamado

James Phillips, e inoculou o líquido contaminado no organismo do garoto. Você acha que terminou? Ledo engano! A ciência é muitas vezes mais emocionante que Netflix!

Depois de seis semanas, James estava ótimo, serelepe como qualquer criança de sua idade. Foi quando o doutor Jenner novamente entrou em ação. Imaginem a cara do menino ao ver o homem da injeção se aproximando! O médico tinha em mãos material contaminado com varíola humana e o inoculou no menino plenamente saudável.

Não sei se o doutor Edward Jenner era religioso ou não, mas o imagino torcendo ou rezando muito para a teoria dele estar certa. A vida de um menino estava em suas mãos! Para alegria de todos, principalmente do pequeno James, ele não desenvolveu a varíola. Estava criada a primeira vacina do mundo! Aliás, o termo "vacina" vem da palavra latina *vacca*. Quem imaginaria que a vaca daria origem ao nome de um dos procedimentos mais revolucionários da história humana.

A história da vacinação tem outros vários heróis. Por exemplo, o famoso cientista francês Louis Pasteur, que, em 1885, começou seus estudos sobre a raiva – doença mortal contraída através da mordida de animais infectados. Novamente, uma criança entra em cena para mudar radicalmente o *status* de "condenados à morte" daqueles que se infectavam com a doença. No dia 4 de julho de 1885, um menino de nove anos chamado Joseph Meister é convocado pelo pai, que era padeiro, para comprar fermento. O menino saiu correndo e foi até vila de Maisongouthe. Ao chegar ali, foi atacado pelo cachorro raivoso de um taberneiro. Foram 14 mordidas, principalmente nas pernas e no braço direito. O dono do cachorro e alguns passantes viram a cena e foram acudir o pequeno Joseph. Lavaram seus ferimentos e lhe deram água para beber. Logo após os primeiros socorros, deixaram-no voltar sozinho para casa.

O corajoso menino começou seu regresso e, a cada dez metros, tinha de parar para descansar. Chegou finalmente em casa, para alívio da mãe, desesperada com sua demora. Ao vê-lo, ela entrou novamente em desespero, pois a aparência do filho estava horrível. Ela saiu correndo e o levou ao médico da vila, que, ao pousar os olhos nos ferimentos, já imaginou que o menino tivesse contraído a raiva – o que significava uma sentença de morte. O médico, então, lembrou dos estudos de Pasteur em Paris com animais raivosos e comentou com a mãe do menino.

Vendo a piora do filho, ela decidiu ir a Paris e, com muita dificuldade, encontrou o laboratório do famoso cientista. Pasteur levou um grande susto ao ver o pequeno Joseph. A morte era inevitável, por isso decidiu, assim como anteriormente fizera seu colega inglês Edward Jenner, tentar algo ousado e inédito: inoculou no menino uma vacina experimentada somente em animais. E deu certo! Joseph Meister foi o primeiro ser humano a ser imunizado contra a raiva. Voltou para casa feliz e saudável.

Você deve estar pensando: mas o que tudo isso tem a ver com a literatura? Prometo que chegarei lá, mas antes um pouco mais de história.

Tanto Jenner quanto Pasteur, cientistas heróis, conheciam histórias da Antiguidade que já flertavam com o processo de imunização. Eram lendas e fatos que deram, sem sombra de dúvida, subsídios para suas pesquisas. Uma dessas histórias antigas, uma lenda, contava que Mitrídates IV, rei de Pontus, na Ásia Menor, fora responsável pelo assassinato do próprio pai e que, ao assumir o trono, ficou com medo de também ser assassinado, principalmente por envenenamento. Então começou um procedimento para se imunizar contra os venenos. Tomava doses pequenas e não mortais de cada veneno conhecido, para que seu organismo ficasse protegido de doses letais.

Na Roma Antiga, um médico chamado Celso cunhou o termo *Antidotum Mithridatium* para o procedimento de proteção contra envenenamentos, ou seja, a exposição a uma pequena dose de substância que, ao longo do tempo, deixaria a pessoa imune a doses grandes dessa mesma substância.

Como é interessante ver o elo entre o conhecimento passado e o atual. Às vezes, o conhecimento se desvela, mas não há tecnologia ou demanda suficiente para desenvolvê-lo. Precisamos de anos, décadas, séculos e até milênios para um determinado conhecimento se concretizar em resultados inequívocos e revolucionários.

Tudo o que escrevi até agora faz referência à fisiologia do ser humano, mas nós, *Homo sapiens*, também temos uma dimensão simbólica. Somos criadores de narrativas, fofoqueiros natos! Não imagino uma vaca falando para outra sobre a vida fútil de uma terceira. Nossa mente extrapola nosso próprio corpo. Sonhamos e criamos mundos, sonhamos e destruímos mundos. A fantasia é o motor da humanidade, para o bem e para o mal. E o interessante é que a dimensão simbólica do ser humano também pode adoecer, enfraquecer, ser envenenada, perder o vigor e a capacidade de lidar com os agentes estressores da vida. E haja agentes estressores na nossa vida!

Olhando para o passado, assim como cientistas inteligentes o fizeram (e alguns ainda o fazem), percebemos como nossos ancestrais lidavam com o enfraquecimento, o descontrole, a confusão, o adoecimento da psique humana – tristeza profunda, angústia existencial, ciúme, raiva etc. Eles usavam um método muito parecido com a mitridização, ou vacinas contra os males da alma. Para que nossa mente possa enfrentar um ambiente interno e externo hostil, ela precisa de doses pequenas e seguras desses mesmos elementos. A fim de que possamos enfrentá-los, precisamos criar anticorpos *simbólicos* que ajudem, principalmente às crianças, a combater e compreender os percalços, os sofrimentos e a complexidade da vida.

E qual seria o elemento principal dessa vacina protetora da mente humana? Histórias! Mas, assim como as vacinas tradicionais carregam dentro delas parte do problema (vírus/bactérias), a vacina literária precisa carregar dentro de si uma parcela daquilo que queremos combater, ou seja, histórias que falem não só do lado bom das coisas, como também do lado sombrio. Não é à toa que histórias de terror são um *hit* há séculos entre crianças e jovens, já que o terror está tanto fora da nossa mente quanto dentro dela.

Tudo isso parece fazer sentido? Imagino que sim. Quando éramos crianças, ouvíamos histórias de terror, aventura, suspense, amor, tristeza etc. Bruxas, ogros, mortes inesperadas, finais tristes (lembra do soldadinho de chumbo do Andersen?), atos de heroísmo, sacrifícios, amor intenso, solidão intensa etc. Essas histórias fortaleceram nossa mente, ensinaram-nos que a vida não é fácil, mas, mesmo assim, vale a pena lutar por ela. Essas histórias nos prepararam para os confrontos com as bruxas nossas de cada dia, bruxas que são a representação suprema da dificuldade e dos obstáculos que a vida impõe. Essas histórias nos prepararam para o confronto com a morte e com a felicidade.

Porém, hoje, parece que as coisas mudaram um pouco. Faz alguns anos que existe um movimento crescente e preocupante que vem fragilizando e não fortalecendo a mente infantil. São ideias que até podem ter nascido com as melhores intenções, mas que se tornaram uma fonte de destruição dos nossos anticorpos *simbólicos*. Podemos chamar tais conceitos de *histórias politicamente corretas*, que são histórias limpinhas, bonitas, perfeitas, sem conflitos e que teoricamente formariam um ser humano melhor, mais bondoso, compreensivo, empático, um exemplo de cidadão!

As mudanças nas histórias começaram e se intensificaram. Uma verdadeira eugenia literária! Põe-se em dúvida tudo o que possa ferir a sensibilidade do leitor – é claro que na óptica dos autoritários do pensamento alheio, daqueles que sabem o que é bom para os leitores, mais do que eles mesmos. A criança é vista como um ser bom por excelência (ninguém nunca presenciou um surto de birra de uma criança num *shopping* ou avião?), e as malvadas das histórias corromperiam essa alma angelical.

A criança é um ser complexo. Ela é boa e má ao mesmo tempo, tem sentimentos altivos e cruéis, e é por isso mesmo que necessita de histórias que falem sobre essa complexidade. Achar que, ao falarmos só de paz com as crianças, elas se tornarão pacíficas, é desconhecer completamente a natureza humana. É isso o que estamos fazendo nos últimos tempos, inserindo a paz, a ordem, o previsível nas histórias. E o resultado? Nunca vivemos tantos relatos de indisciplina, desordem afetiva e cognitiva em sala de aula. Uma ansiedade coletiva perpassa crianças de diversas idades. Por quê? Porque a criança não está sendo atendida simbolicamente nas suas demandas mais importantes. Estamos fragilizando a infância, tornando-a desprotegida contra os agentes estressores da vida interna e externa.

Perguntem a um grupo de crianças de mais de sete anos que tipo de histórias elas querem ouvir. Garanto que a palavra *terror* será a campeã de pedidos. O que isso quer dizer? Que são psicopatas? É claro que não! É que, ao pedir histórias de terror, elas estão querendo (inconscientemente) falar sobre o terror interno de cada uma delas. O monstro mora dentro e não fora do nosso coração e é exatamente por isso que devemos falar sobre ele, só assim ele pode perder a sua força. A melhor forma de colocar luz nesse lado sombrio é lendo, contando histórias que dialoguem com o lado obscuro. Assim, começamos a compreendê-lo e combatê-lo de forma mais efetiva.

Um dos grandes teóricos do mundo das histórias, Bruno Bettelheim, chamava essas histórias politicamente corretas de "estórias fora de perigo", que seriam narrativas que evitavam problemas existenciais. Tais histórias não mencionavam nem a morte e nem o envelhecimento, o tempo não seria um problema para uma criança refletir. Quem realmente acha que a infância não se interessa por esses temas está muito, mas muito enganado.

Eu me lembro de uma cena ocorrida em casa, quando minhas filhas eram pequenas. Era um jantar na cozinha, cinco pessoas na mesa: minha esposa, minhas duas meninas, minha mãe e eu. A caçula, de quatro anos, olha para a avó e diz: "Vó, você é a mais velha da mesa?". A avó responde: "Sim, sou". Minha pequena: "Então, você será a primeira a morrer nessa mesa". Minha mãe leva um pequeno susto, recupera-se, dá um sorriso e diz: "Sim, acho que sim". Mas minha pequena não sossega: "Pai, você é mais velho que a mamãe?". "Sim, meu amor", respondo. "Então, vai morrer depois da vovó". E assim ela foi matando um por um, de acordo com a idade e não se esquecendo de si mesma, que, é claro, seria a última a morrer, por ser a mais jovem de todos. Você realmente acha que esses assuntos não interessam à infância?

Para ir terminando essa reflexão sobre vacinas, imunidades simbólicas, fortalecimento dos afetos e da cognição das nossas crianças, faço minhas as palavras do grande Bruno Bettelheim:*

> Hoje, como no passado, a tarefa mais importante e também mais difícil na criação de uma criança é ajudá-la a encontrar significado na vida. (...) Fui confrontado com o problema de deduzir quais experiências na vida infantil mais adequadas para promover sua capacidade de encontrar sentido na vida; dotar a vida, em geral, de mais significados. Com respeito a esta tarefa, nada é mais importante que o impacto dos pais e outros que cuidam da criança; em segundo lugar vem nossa herança cultural, quando transmitida à criança de maneira correta. Quando as crianças são novas, é a literatura que canaliza melhor esse tipo de informação.

---

* *A psicanálise dos contos de fada.* Rio de Janeiro: Paz e Terra.

E o melhor de tudo é que a vacina literária não necessita de agulha para ser aplicada. E tem mais, pais e professores também se imunizam assim que começam a ler ou contar uma história para seus filhos e alunos. E o Dia Nacional da Vacinação Literária, anotem aí é: qualquer dia, qualquer lugar, qualquer horário. Lembrem-se, o efeito da vacinação literária dura *para sempre*.

# Livros amordaçados

Há uma frase famosa do filósofo George Santayana (1863-1952) que não me sai da cabeça faz algum tempo: "Quem não recorda o passado está condenado a repeti-lo". E como estamos esquecidos! O caso da fiscalização e da quase apreensão de uma HQ na Bienal do Livro do Rio de Janeiro de 2019 é um exemplo límpido do nosso "eterno retorno" à sanha censória ligada ao mundo dos livros. O nosso pendor a controlar e incinerar ideias que não se coadunam com a nossa visão de mundo é tão antigo quanto o surgimento da leitura e da escrita.

O livro é uma das ferramentas mais poderosas já criadas pelo homem. Antes dele, necessitávamos despender uma energia descomunal para preservar o conhecimento. A memória precisava focar naquilo que já era sabido, repeti-lo exaustivamente e passá-lo adiante oralmente. No momento em que a escrita, a leitura e o livro são inventados, ocorre uma revolução na mente humana. Ela agora pode despender energia com outros assuntos, como a filosofia, a ciência etc., já que a memória ganha um suporte para acampar, descansar e, quando solicitada, abrir-se aos olhos humanos.

Isso parece extraordinário, porém, desde o começo dessa história, a desconfiança e a vontade piromaníaca de alguns não cessaram de caminhar com a produção e disseminação dos livros. É de extrema importância ressaltar que censurar livros é um ato de mentes autoritárias, dogmáticas, que enxergam o mundo de maneira uniforme. Encontramos pessoas com essas características em todos os matizes ideológicos e religiosos. Não aponte o dedo para um censor antes de verificar se você não apoia governos, governantes e grupos que também são censores. A sua censura não é mais justificável que a outra. Isso tem nome: hipocrisia.

Uma história da censura de livros demandaria um espaço gigantesco. Muitos livros já foram escritos a respeito, mas algum exemplo pode ser bem didático para tentarmos, com muito esforço, aprender com o passado. A censura não tem geografia. No Oriente, em 213 a.C., o imperador Shi Huangdi realizou uma das maiores queimas de livro de toda a história. Ele queria que a memória de seu povo começasse com o seu governo. Queimar livros, podemos pensar, é a tentativa de aniquilar a memória de um povo.

Censurar livros significa censurar ideias, pensamentos e principalmente a liberdade individual. E essa liberdade foi elevada exponencialmente com o surgimento da Reforma Protestante, com sua consigna de que cada fiel poderia ler individualmente sua escritura sem mediação eclesial. Além disso, com a invenção da prensa de Gutenberg, a produção livreira disparou, bem como a disseminação das ideias. Esses dois eventos transformaram o mundo para sempre.

A criação da intimidade, do mundo privado, da liberdade de expressar ideias e sentimentos é uma dívida que temos com o mundo dos livros. Aqueles que perseguem os livros estão combatendo nossa liberdade individual. Não suportam a ideia de que não controlam o que estamos lendo, sentindo e pensando.

# 1984 é hoje!

Sigmund Freud (1856-1939) disse certa vez: "Aonde quer que eu chegue com a ciência, sempre descubro que um poeta chegou antes de mim". Quando se referiu aos poetas, ele quis dizer os artistas em geral, como os romancistas. E é em um dos romances mais conhecidos do século XX que uma grande profecia está sendo construída, infelizmente, nos dias atuais.

Estou falando da obra magistral do escritor e jornalista inglês George Orwell (seu nome verdadeiro era Eric Arthur Blair) *1984*, publicada em 1949. Nela, o autor descreve uma sociedade totalitária, liderada pelo *Big Brother*, o Grande Irmão. A leitura desse livro fica a cada ano mais atual. Mais impressionante do que a previsão de Orwell sobre uma sociedade supervigiada por câmeras e o fim da privacidade é o seu olhar para o futuro da linguagem e sua relação com o poder político. E, sim, isso tem a ver com os nossos filhos, netos, bisnetos.

Quero transcrever aqui uma passagem em que o angustiado protagonista do livro, Winston, conversa com um dos responsáveis por cuidar da Novilíngua, a linguagem usada no futuro. Syme, o burocrata da linguagem, diz o seguinte:

> Tenho a impressão de que imaginas que o nosso trabalho consiste principalmente em inventar novas palavras – às dezenas, às centenas, todos os dias. Estamos reduzindo a língua à expressão mais simples... Não vês que todo o objetivo da Novilíngua é estreitar a gama do pensamento? No fim, tornaremos a crimeideia (crime do pensamento) literalmente impossível, porque não haverá palavras para expressá-la. Todos os conceitos necessários serão expressos exatamente por uma palavra.

A ideia central dessa passagem é que, quanto menos repertório linguístico possuirmos, menos pensamento e reflexão teremos. Nada mais verdadeiro! É só perceber como as crianças que ouvem e leem muitas histórias são mais falantes e, principalmente, curiosas. Há inúmeras pesquisas comprovando a importância de banhos linguísticos para o desenvolvimento saudável da infância.

O que me levou de volta a Orwell foram notícias que comprovam a existência de um movimento para "simplificar" histórias e palavras, com uma justificativa furada e perversa de que isso ajudaria milhões de pessoas com dificuldade de compreensão de texto. Melhorar o ensino, nem pensar! Uma dessas notícias, publicada nos jornais em 2014, dizia que o Senado Federal estava discutindo uma nova reforma ortográfica – querem, entre outras coisas, retirar a letra h de palavras como "homem" e "herói", além de preconizar o fim de ç, ss e ch. Parece piada, mas é a pura realidade. Estamos falando de empobrecer as histórias, "vaporizando" (termo orwelliano) palavras, porque achamos que as pessoas não vão entendê-las.

Porém o que mais me chamou a atenção foi a notícia sobre um aplicativo que dizia apenas *yo* (expressão em inglês para dizer "oi") e que tinha arrecado mais de 1 milhão de dólares para ser desenvolvido. O objetivo desse aplicativo, lançado em 2014, é só dizer *yo* para seus contatos, nada mais. Lendo uma matéria da época, descobri que mais de 2 milhões de pessoas já tinham esse aplicativo e que seu criador queria simplificar as conversas com seus amigos e colegas – no lugar de perguntar "como você está?", "yo" e "como foi o filme de ontem?", "yo". Poderíamos achar isso engraçado, fofo, uma bobagem, mas não é. Precisamos preservar nossa linguagem com sua beleza e força. Viver numa sociedade *yo* e *eroica* (sem h) será a realização da profecia de Orwell, em que "todo pensamento será diferente. Com efeito, não haverá pensamento, como hoje o entendemos. Ortodoxia quer dizer não pensar... não precisar pensar...".

## A invasão dos marcianos à brasileira

Era um dia antes de uma das festas mais populares dos Estados Unidos, o *Halloween*, no ano distante de 1938. Como de costume, milhões de americanos ouviam seus programas radiofônicos prediletos, entre eles, um programa da rádio CBS que fazia adaptações de livros. O jovem locutor que estava conduzindo esse projeto era o desconhecido – não por muito tempo – Orson Welles.

No dia 30 de outubro de 1938, Welles faria a locução do 17º programa, ou seja, a maioria deveria saber que se tratava de adaptação literária para rádio. Mas não foi o que aconteceu nesse dia histórico. Welles interrompeu a programação musical para informar sobre uma invasão de marcianos, tudo baseado no clássico da ficção científica de H.G. Wells: *A guerra dos mundos*. Suas intervenções foram super-realistas, com depoimentos dramáticos, sons variados etc. Vale a pena conferir no YouTube. O começo da locução mostra que a CBS informava que se tratava de uma adaptação literária. Não adiantou nada! Logo após Welles começar a dramatizar sua adaptação, o pânico foi tomando conta de milhões de cidadãos: correria, congestionamentos monstruosos, gritaria, ligações desesperadas para a polícia.

Como muitos pensadores já disseram, as massas em pânico não costumam ser organismos de Q.I. muito elevado. São levadas de um lado para outro ao bel prazer dos ventos de rumores reais ou fictícios. Todos somos presas fáceis da força magnética e muitas vezes acéfala das massas.

Lembro-me de uma experiência comportamental em que um sujeito era colocado numa sala de seleção de emprego. Todos ali eram atores, menos ele. Durante uma prova escrita, começou a sair uma fumaça densa de um dos cantos da sala, um indicativo claro de incêndio. Como nenhum ator (as massas) saiu da sala, o sujeito real, mesmo que racionalmente concluísse que estava em perigo, olhou várias vezes para os lados e viu que ninguém se mexia. Resolveu então seguir o grupo, apesar de todas as evidências contrárias. No caso da "Invasão dos marcianos", o povo não tinha recursos tecnológicos para apurar rapidamente os fatos. A falta de informação com certeza contribuiu para o pânico geral.

Na atualidade, parece que ainda somos presas fáceis dos movimentos de massas, agora não pela falta de informação, mas pelo excesso dela. Nos últimos anos, surgiram notícias que circularam nas redes sociais e nos aplicativos de conversa que fizeram com que as massas entrassem em pânico novamente. Um exemplo dessas notícias falsas que muitos receberam descrevia um suposto ataque de uma facção criminosa que havia se associado a máfias internacionais para sequestrar crianças, tirar e vender seus órgãos. Fotos de crianças supostamente mortas e sem órgãos pulularam nas redes.

Lembro bem que, na época da disseminação dessa notícia falsa, uma pessoa bem próxima a mim me perguntou se eu estava preocupado com essa atrocidade. Percebi então que as massas não mudaram muitos nos últimos séculos. Comecei a fazer perguntas simples a minha interlocutora: De onde saiu essa informação? Algum jornal impresso deu destaque para isso? Alguma televisão foi entrevistar as mães dos filhos sequestrados? Os programas policiais "mundo cão" estariam em frenesi com esses fatos, caso fossem reais. Aliás, cadê as mães, os pais e os familiares dessas crianças? Não estão indo para delegacias, fazendo protestos desesperados etc.? Era tão óbvio que não passava de uma informação falsa e mórbida! Minha interlocutora concordou e percebeu que havia entrado na loucura desinformada do coletivo.

Os evangelizadores tecnológicos sempre nos venderam a ideia de que o acesso ilimitado às informações em tempo real, tudo literalmente agarrado à sua mão, sem intermediações dos conglomerados midiáticos, seria o caminho da liberdade e o fim da cegueira do conhecimento. O monopólio da informação finalmente seria estraçalhado e um novo mundo com o poder absoluto nas mãos do cidadão estaria para nascer. Faltou combinar com os russos (hoje em dia talvez essa expressão, que não foi dita por Garrincha, seja a mais profética de todas; os russos são os grandes manipuladores de informações "livres e desmonopolizadas"; é rir para não chorar). Então, da próxima vez que você ler uma informação que diga que os marcianos voltaram e abduziram alguns senadores da república, por mais que você deseje que seja verdade, procure outras fontes além da sua bolha internáutica social.

## Esfolando a ciência

A cidade de Alexandria foi um dos locais culturalmente mais vibrantes da Antiguidade. Seu nome foi uma homenagem ao famoso macedônio e conquistador Alexandre, o Grande, que a fundou no século IV a.C. Muitos monarcas governaram o território em que se localizava Alexandria, mas foi a dinastia dos Ptolomeus que a modificou para sempre. Essa dinastia tinha um enorme apreço por arte, filosofia, matemática, astronomia e muitos outros saberes, e queria os melhores dos melhores frequentando e ensinando em Alexandria.

A cidade foi se tornando um grande ímã para muitos cientistas, filósofos e artistas de prestígio de outras localidades, e os Ptolomeus ainda bancavam a vinda e a permanência dessas pessoas em sua capital. Alguns dos nomes que frequentaram a cidade de Alexandria nos seus séculos de existência: Euclides, considerado por muitos como o pai da geometria; Arquimedes, o famoso gênio de Siracusa, criador da célebre frase: *Eureka*! (Encontrei!); e Galeno, um dos médicos mais renomados da Antiguidade.

Foi também a dinastia dos Ptolomeus que construiu um complexo arquitetônico impressionante chamado de Museu, um local dedicado às Musas, que, na mitologia grega, eram as nove filhas de Zeus, o deus dos deuses, e Mnemósine, a deusa guardiã da memória. No centro do Museu, ficava a lendária Biblioteca de Alexandria. No seu auge, dizem alguns pesquisadores, ela tinha por volta de 500 mil livros. Meio milhão! Isso numa época em que os livros eram todos (pelo menos até o século I d.C.) em formato de rolos (*volumen*) e manuscritos. Tal biblioteca era o Google da Antiguidade!

Dizem que os Ptolomeus gostavam mais dos livros do que dos próprios estudiosos, já que estes últimos podiam ir embora quando quisessem; os livros, em compensação, carregados de sabedoria, permaneceriam na cidade, por isso, contam alguns pesquisadores da época, pagavam fortunas por livros vindos de fora ou mandavam vistoriar navios ancorados no porto, e, se encontrassem livros, que os confiscassem, copiassem e devolvessem, de preferência as cópias. Esses Ptolomeus não brincavam em serviço.

Os diretores da Biblioteca de Alexandria eram designados pelo próprio rei, ganhavam um belo de um salário e tinham *status* social dos mais altos. Um dos diretores foi ninguém menos do que Eratóstenes (276-195 a.C.). E quem foi Eratóstenes? Simplesmente o responsável – atenção, terraplanistas – por calcular a circunferência da Terra. Isso há mais de 2 mil anos! Ele chegou ao número de 252 mil estádios, ou seja, cerca de 39.690 quilômetros. No século XX, com satélites, GPS e afins, os cientistas chegaram no número exato da circunferência terrestre, 40.067,96 quilômetros. Eratóstenes quase cravou! Contam que, no final da vida, o grande Eratóstenes ficou cego e, não suportando a ideia de não poder mais estudar nos livros de sua amada biblioteca, entrou em depressão, deixou de se alimentar e morreu.

A cidade de Alexandria poderia ser considerada o Vale do Silício do mundo antigo, com pitadas de Nova York e Paris. Porém a história humana nunca é feita de permanência, de conquistas certas e duradouras. A razão sempre se ilude com sua própria grandiosidade. Muitos séculos de conhecimento acumulado num ambiente desafiador e estimulante para novas descobertas e reflexões metafísicas iludiu a muitos, que imaginavam que a batalha contra a estupidez, a ignorância e a barbárie estava sendo ganha.

Foi nesse ambiente multicultural que nasceu, em 370 d.C., uma das mulheres mais inteligentes e extraordinárias da antiguidade, Hipátia de Alexandria. Na época de seu nascimento, Alexandria já fazia parte do Império Romano, que estava em franca decadência e que, décadas antes, vira o imperador Constantino (272-337 d.C.) declarar o cristianismo como religião oficial do império.

Hipátia era filha de Theon, um importante funcionário do Museu. Ele era também um famoso matemático e astrônomo. Theon, nadando contra a corrente e indo contra todas as convenções sociais da época, decidiu criar Hipátia para ser uma mulher livre de corpo e mente.

Séculos de conhecimento foram transmitidos à menina, não esquecendo da atenção ao corpo, *mens sana in corpore sano*. Dizem que, já na juventude, Hipátia superava o pai em inteligência e oratória. Para aprimorar seu conhecimento, o pai também a enviou para Grécia e Itália. Ao retornar, a jovem decidiu abrir uma sala de aula, uma *master class* da época. A fama de Hipátia se espalhou rapidamente. Ela havia se tornado uma matemática, astrônoma e filósofa reconhecida em vários cantos do mundo. Alunos de diversas regiões afluíam para Alexandria só para ter aula com Hipátia.

Essa mulher extraordinária não esquecia também das pessoas que não podiam pagar por suas aulas. Frequentemente vestia sua melhor túnica e se dirigia à praça pública de Alexandria para dar aulas gratuitas para quem quisesse ouvi-la. Um dia, um de seus alunos lhe perguntou por que era solteira. Dizem que sua beleza era tão fascinante quanto sua sabedoria. Ela respondeu que já era casada com o conhecimento.

Tudo parecia bem, a razão reinando pela cidade, mas não era bem assim. Grupos cristãos fanáticos começaram a ganhar poder em Alexandria, principalmente com a ascensão de Cirilo (375-444 d.C.) ao patriarcado da cidade. Ele era um líder religioso fanático e autoritário, e sua primeira vítima foi a comunidade judaica, que estava presente há séculos em Alexandria, contribuindo para sua prosperidade cultural e econômica. Cirilo ordenou a perseguição e expulsão dos judeus de Alexandria. Após isso, começou um novo conflito, agora contra os pagãos que frequentavam o Museu e se atreviam a duvidar, a questionar e a buscar a verdade por trás da natureza visível e invisível.

Cirilo começou uma briga com o prefeito de Alexandria, Orestes, um cristão tolerante e representante político de Roma. O patriarca queria a conversão de todos os pagãos da cidade e principalmente de Hipátia. Como uma mulher se atrevia a ser independente de corpo e mente? Isso era uma heresia sem tamanho. Orestes, que fora aluno e era amigo de Hipátia, sentindo o perigo que a rondava foi falar com ela e lhe pediu que se convertesse ao cristianismo o mais rapidamente possível. Hipátia recusou o conselho e disse que nunca trairia seus ideais.

Nesse ambiente tomado pela intolerância religiosa, Hipátia sofreu uma emboscada quando estava dentro de sua carruagem. Homens a retiraram à força e a levaram para dentro de uma igreja. Segundo a versão do historiador inglês Edward Gibbon (1737-1794), a despiram e a esfolaram viva e, quando ela morreu, ainda a retalharam e jogaram seus pedaços no fogo. Alguns estudiosos dizem que Hipátia foi uma das últimas luzes da ciência e da razoabilidade antes de o mundo mergulhar em séculos de escuridão e ignorância.

Tudo isso parece história de um tempo distante, mas, depois de mais de 1600 anos da morte brutal de Hipátia, o mundo novamente ficou embriagado pelo progresso, com um celular na mão e milhares de *Alexandrias* disponíveis para qualquer um. A ciência e a razão finalmente pareciam ter triunfado. Olhamos para o passado, com suas guerras, pestes, fome, e acreditamos que nunca mais passaremos por aquilo, que a luz ganhou da escuridão. Só que não! Caímos na mesma armadilha dos eruditos de Alexandria e dos iluministas dos séculos vindouros. Baixamos a guarda e deixamos novos fanáticos emergirem do pântano da estupidez e da ignorância. A ciência começa novamente a sofrer várias emboscadas e, em alguns lugares, até a ser esfolada viva. Ainda há tempo para reagirmos e não vermos a escuridão se deitar novamente em berço esplêndido.

# CPI das esculturas já!

Um dos meus sonhos de juventude era conhecer os sítios arqueológicos de Pompeia e Herculano, verdadeiras cápsulas do tempo eternizadas pela tragédia vulcânica do Vesúvio. Em 2018, realizei esse sonho, e foi uma decepção! Como andar por horas a fio entre pedras, esculturas, residências, praças, bordéis (absurdo!) e não ficar indignado com esse povo bárbaro que pensava muito em sexo, dinheiro, arte, comércio, política e religião? Cadê a frugalidade? A sabedoria do menos é mais? E os buracos e argolas perto das casas, que eram usados para manter os escravos presos, enquanto o dono papeava com outro sujeito? E o restaurante ao ar livre com bocas de fogão a lenha, (lenha, tenha paciência! Cadê a sustentabilidade?) que a população usava como um *fast-food* na época? Aposto que a higiene era zero! Sério, eu terminaria o trabalho do Vesúvio com um trator! Aproveitava o mesmo trator para pôr abaixo as pirâmides do Egito, a esfinge. E as múmias dos faraós? Mandava queimar e jogar as cinzas no rio Nilo. Esses monarcas opressores que usaram trabalho escravo para tudo! Além de inventarem esses deuses sem pé nem cabeça, literalmente idólatras! Ah, você pode dizer, mas eles trouxeram tanto conhecimento e avanços tecnológicos! Sim, mas era uma ditadura! Fogo neles! A lista de monumentos e esculturas que levantei depois de abrir os olhos sobre a sórdida história dos nossos ancestrais é inimaginável, como podemos aceitar isso? No meu aterro da sordidez humana desses *pop stars* do passado, estariam os bustos e estátuas de Sócrates, Platão, Aristóteles... misóginos! Os imperadores romanos, nenhum se salva! Primeiros papas da cristandade e seus sucessores, meu deus! Se começarem a ler suas biografias, sai de baixo! Reis, rainhas, nobres, todos opressores! Tem uma que até tomou apenas um banho em toda a vida! Opressora e péssimo modelo para crianças em desenvolvimento! Devia ser extirpada da história! Ah, mas você fala só da nobreza e dos filósofos, cadê os artistas?

Sim, esses eram os piores! Você já leu as cartas que o Mozart trocava com sua prima amante? Pura perversão, outro péssimo exemplo! Salzburgo deveria imediatamente tirar a imagem desse pervertido dos seus chocolates! Van Gogh, que outro belo exemplo! Se alguma criança resolver arrancar a orelha, a culpa é dos educadores que insistem em falar sobre esse holandês perturbado. A minha lista, como falei, seria interminável, isso porque nem cheguei nos escritores, roqueiros (nenhum se salva mesmo!), médicos que têm esculturas por aí, mas que nem lavavam as mãos antes de suas cirurgias! Chego à conclusão de que devemos apagar toda a história. Que não sobre pedra sobre pedra! Comecemos do zero! Novos homens, puros, belos, sem máculas! Estátuas que mostrem e que remetam a nossa verdadeira natureza, a bondade! E quem insistir em mostrar a complexidade e dubiedade humanas, a imperfeição desses sujeitos, deveria ser cancelado das redes sociais, deveria cair num ostracismo eterno. Como alguém pode ir contra só mostrarmos o que há de mais belo em nosso coração? Só um monstro! E monstros devem ser extirpados da sociedade em que a beleza interior é o que importa. Mas já vejo os selvagens argumentando: "E o contexto histórico? Nossos ancestrais não tinham tantas informações como nós temos, estavam num processo lento e contínuo de aprendizagem e mudança. E o passado é um grande educador para gerações futuras". Para mim, isso é apenas passar pano para esses intolerantes e ignorantes do passado. Aliás, o meu lema, a partir de hoje, será: "Apagar o passado e olhar para o futuro!".

P.S.: Ironia, do grego *eurôneia*, modo de expressar o contrário do que se pensa ou sente. Ironia era um processo de ensino empregado por Sócrates (misógino!) que, fingindo ignorância, dirigia perguntas a seus discípulos para ver o que eles respondiam. Havia talvez certo sarcasmo nessas perguntas; daí o sentido que foi tomando a palavra.

# Marretas, tesouras, fósforos e cliques

Você que está achando o máximo a derrubada de estátuas de opressores como Colombo e companhia, o que acha de a estátua do Borba Gato – esteticamente horrorosa – ser catapultada até o rio Pinheiros? Prepare sua marreta, tesoura, fósforo e muitos cliques para deletar arquivos dos seus *gadgets*, a lista é grande e surpreendente!

Aviso I: Cuidado, porque ao final seu mundo pode desaparecer por completo.

Aviso II: Não vale passar pano para aqueles que você idolatra e de quem descobriu agora outra faceta.

Aviso III: Caso você queria mesmo marretar, tesourar, incendiar e apagar o passado, não reclame se, no futuro, for marretado, tesourado, incendiado e apagado. A justificativa será, provavelmente, muito parecida com a sua para marretar, tesourar, incendiar e apagar.

Aviso IV: Caso você acredite que somos prisioneiros do nosso tempo, seres complexos e imperfeitos, essa lista não te afetará tanto, guarde a marreta, a tesoura, o fósforo e deixe seus arquivos em paz.

Os personagens a seguir foram, em seu tempo, misóginos, racistas, antissemitas, homofóbicos, amantes de ditaduras sanguinárias. Alguns foram tudo isso junto, outros não. Alguns foram assim na juventude (ou em rompantes momentâneos) e depois se arrependeram. Outros morreram sem nem um pingo de arrependimento dessas facetas demasiadamente humanas.

A ordem não é cronológica nem por categoria de atuação. São figuras que fazem parte da nossa vida diária, nomes de praças, ruas, avenidas, estradas, esculturas. Estão impressos em livros. Tais figuras criaram ideias e coisas que usamos até hoje.

Fiz uma pequena seleção desses personagens, mas tenho certeza de que, se você procurar bastante, vai achar preconceitos em praticamente todas as figuras históricas desde a antiga Mesopotâmia até os dias atuais. E claro, se tiver um tempinho, antes de completar a sua lista, que tal olhar para o fundo de sua alma?

Aviso V: Cuidado com o que vai ver.

Aviso VI: Se não conhecer alguns nomes e decidir pesquisá-los e, depois, partir para cima de suas criações, espero que tenha pago todas as prestações do carro, que não precise de alguns medicamentos específicos e que tenha roupas de origem lícita histórica no seu guarda-roupa.

Sócrates

Platão

Aristóteles

Shakespeare

Getúlio Vargas

Hemingway

Che Guevara

Ghandi

Monteiro Lobato

Gilberto Freyre

Jorge Amado

Oscar Niemeyer

Picasso

Chaplin

Freud
Nietzsche
Raposo Tavares
Pedro Álvares Cabral
Vasco da Gama
Dostoiévski
Abraham Lincoln
John F. Kennedy
Padre Anchieta
Martinho Lutero
Voltaire
Henry Ford
Hugo Boss
Rudolf Dassler
Carl Von Siemsen
Wilhelm Von Opel
Gustav Krupp
Tolstói
Charles Lindenberg
Rousseau
Karl Marx
Friedrich Engels
Júlio César
Wagner
Jorge Luis Borges
Jean-Paul Sartre

Jorge Amado
Winston Churchill
Tiradentes
D. Pedro I
Confúcio
Santo Agostinho
Albert Einstein
Rudyard Kipling
Heidegger
Toscanini

# FRASES
e adendos

*De tanto lamber feridas, acabamos tomando prazer nisso.* (Albert Camus, 1913-1960) – Será a melô do masoquista?

*O maior pecado do homem é a ignorância* (Buda, 563 a.C.-483 a.C.) – Creio que nunca houve tantos pecadores no mundo como nos dias atuais.

*Hoje, se me pergunto por que amo a literatura, a resposta que me vem espontaneamente à cabeça é: porque ela me ajuda a viver* (Tzvetan Todorov, 1939-2017) – A mim também.

*Uma vida sem reflexão não vale a pena ser vivida* (Sócrates, 470 a.C.-399 a.C.) – E uma vida sem aventuras de vez em quando também não.

*Um corpo saudável é a melhor das bênçãos* (Sócrates, 470 a.C.-399 a.C.) – Dizem que o grande filósofo era saradão, forte como uma rocha.

*É preciso coragem para sentir medo* (Michel de Montaigne, 1533-1592) – Em São Paulo, eu me sinto o mais corajoso dos homens.

*Passar pela vida e não sofrer é não viver* (Jonathan Franzen, 1959-) – Mas, cá entre nós, sofrer é muito sofrido.

*Ganha dinheiro primeiro, a virtude vem depois* (Horácio, 65 a.C.-8 a.C.) – Quem disse isso primeiro foi Aristóteles.

*O homem é uma prisão em que a alma permanece livre* (Victor Hugo, 1802-1885) – Portanto, cultivem a alma.

*O céu está longe. O homem está próximo* (Confúcio, 551 a.C.-479 a.C.) – Já falou "bom dia" para seu vizinho?

*Seja qual for o conselho que vá dar, seja breve* (Horácio, 65 a.C.-8 a.C.) – Será que ele foi o profeta do Twitter?

*A peruca é o símbolo mais apropriado para o erudito puro. Trata-se de homens que adornam a cabeça com uma rica massa de cabelo alheio, porque carecem de cabelos próprios* (Arthur Schopenhauer, 1788-1860) – Já conheci muitos "peruquentos" por aí.

*O segredo para ser entediante é dizer tudo* (Voltaire, 1694-1778) – Então, aproveito para ficar quieto. Adeus.

# TECNOLOGIA

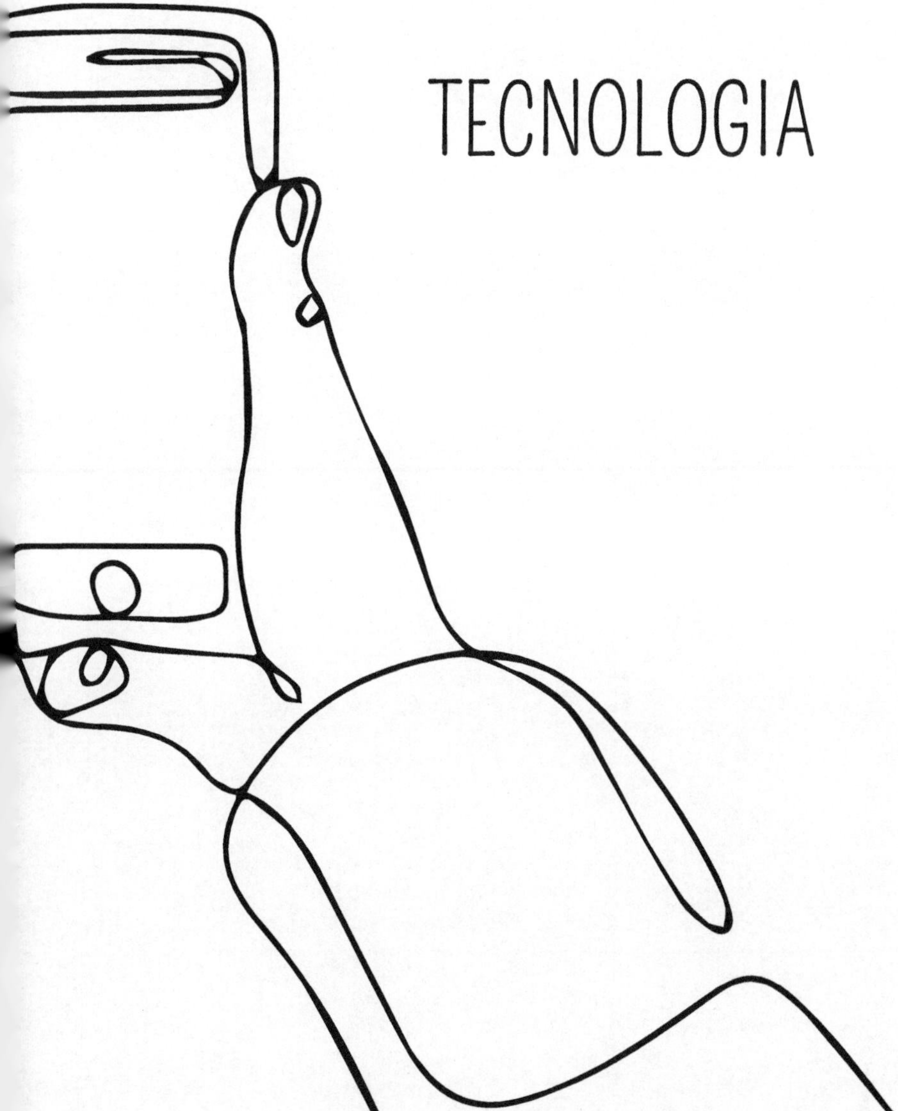

# O vazio

Não consigo parar de pensar no incrível avanço tecnológico e de usufruí-lo. Faço um esforço descomunal para não me ajoelhar perante seus filhos, ídolos reluzentes que realmente realizam feitos extraordinários.

O discurso corrente afirma que o avanço é inevitável, que o progresso vem para melhorar a vida em todos os aspectos. Tal corolário não é novidade. Na época do Iluminismo, as descobertas científicas amparavam o mesmo pensamento: o progresso tecnológico certamente melhoraria a vida do ser humano no planeta Terra.

Como se dizia, só esquecemos de combinar isso com os russos. O progresso veio, trouxe duas das guerras mais sangrentas da história humana (Primeira e Segunda Guerras Mundiais), a energia nuclear (que já mostrou seu perigo) e a poluição (nossa vizinha constante).

Sim, é verdade que a tecnologia também ajudou a prolongar a vida, encurtar distâncias, alimentar bilhões de pessoas, mas, assim como na época do Iluminismo, os arautos da nova era digital não conseguem tampar os ouvidos ao canto da sereia e perceber que ela também traz um perigo inerente: o de nos dar a sensação de controle absoluto sobre nossa vida e a grande casa que habitamos.

Estou longe de querer um retorno à natureza selvagem, ideologia também já ultrapassada, defendida com ardor pelo famoso pensador suíço Jean-Jacques Rousseau, no século XVIII. A natureza tem um lado perigoso, mortal. Acredito que ainda não conseguimos encontrar um equilíbrio entre nossa crença salvacionista na tecnologia e a visão de um mundo no qual a experiência concreta ainda faz um sentido enorme à alma humana.

Toda essa reflexão nasceu de um documentário a que assisti na televisão, mostrando o fim das lojas de CDs e DVDs, substituídas por músicas digitais e seus novos suportes. A minha esposa fez, então, um comentário: "Realmente, é extraordinário ter todas as suas músicas em um só arquivo para ouvi-las em qualquer lugar". Concordei na hora com ela.

Depois veio à minha mente o progresso contínuo. Daqui a alguns anos, todas as nossas informações estarão confinadas em pequenos dispositivos, nada mais de CDs, DVDs, *pen-drives*, *desktops*, *netbooks*, livros, aparelhos de som, *videogames*, álbuns de fotos etc. Tudo estará disponível em um clique, imagens holográficas preencherão nossos espaços.

Logo em seguida, pensei numa visita à casa de meus futuros netos, entrando em apartamentos abarrotados de informações digitais e vazios de materialidade.

# Trim, trim

Março é o mês em que faço aniversário.

Neste ano, aconteceu algo inusitado comigo. Antes, sempre recebia algumas ligações telefônicas dos amigos mais próximos e parentes. Em 2011, a voz sumiu! Em vez do tradicional "trim, trim", recebi mais de uma centena de congratulações por uma rede social e mensagens de texto via celular.

Isso tem um lado muito bacana, as pessoas lembram, ou são forçadas a lembrar, do seu aniversário. Existe uma aproximação, mesmo que virtual e superficial, com conhecidos, desconhecidos, amigos de infância que ressurgem diretamente do túnel do tempo para parabenizá-lo por escrito.

O outro lado dessa história me deixou mais rabugento: o desaparecimento da voz. Tal processo não estaria nos retirando a possibilidade de sentir o calor (ou a frieza) da fala do outro? Quero ouvir a voz do meu interlocutor para me apropriar do seu discurso.

A entonação, as pausas, as risadas, os lamentos, as gaguejadas, as tossidas etc. são também uma parte essencial da comunicação humana, emitem um discurso secundário à fala principal. Um exemplo é quando alguém fala conosco e diz que está feliz, mas a voz o contradiz.

As redes sociais e congêneres nos "aproximam" dos distantes, mas não estariam também nos distanciando dos queridos e próximos?

Tenho visto muitos casais jovens em restaurantes sentados *tête-à-tête* num mutismo absoluto, mas com olhares e dedos inquietos, manuseando *smartphones*. Tenho a fantasia – ou será realidade? – de que o casal está conversando pelos celulares: "Como foi seu dia?"; "Corrido, e o seu?"; "Não aguento o meu chefe, ele não olha na minha cara!"; "Aliás, você estava linda ontem"; "Mas não nos vimos ontem!"; "Estou me referindo à foto que você postou no FB". O casal termina de comer e se abraça, sorri, levanta um dos celulares e "clique". No dia seguinte, foto postada com a legenda: jantar romântico a dois.

A imagem dos casais mudos é batida pela observação preocupante de famílias inteiras emudecidas. Repare, na próximas vez em que for a um restaurante, lugar para restaurar a fome física e simbólica, onde costumávamos conversar, desabafar, rir e falar sem parar, quantas crianças ficam agarradas à sua dura solidão (mais conhecida como DS, um *videogame* portátil). As crianças emudecem à mesa, estão e não estão ao mesmo tempo.

Não sou contra *videogame*, isso seria uma bobagem. É algo divertido, estimulante e desafiador, mas, na hora da refeição fora de casa, com comida diferente, pais mais relaxados (talvez), não seria o momento ideal para conversar, ouvir e reforçar os vínculos afetivos desgastados pelo duro cotidiano?

# Vim, vi, cliquei

O ano é 2047 e o pequeno João, de três anos, pede à mãe: "Mostra de novo quando eu apareci". A mãe levanta a manga da blusa e toca numa pulseira roxa. No mesmo instante, aparece uma tela translúcida diante dos dois. João rapidamente localiza uma imagem dentro de um quadrado e, com um sorriso no rosto, clica o ar. Então, começa a passar um filme de um espermatozoide ganhando a corrida da vida e mergulhando no grande prêmio, o óvulo! "Sou eu, sou eu", grita o menino. "Sim, você apareceu na nossa vida nesse instante", diz a mãe, emocionada.

João não se contenta só com aquela cena, quer mais e mais. Os filmes são intermináveis, todas as fases da gestação, o parto, a amamentação, os arrotos, balbucios, as papinhas, palavras, engatinhadas, o penico etc. O menino não aguenta e, depois de duas horas, adormece. Ele precisaria de uma semana inteira acordado para ver toda a sua longa vida de três anos.

Esse exercício de futurologia nasceu de uma percepção cada vez maior de como estamos registrando tudo! Andamos sempre com uma máquina fotográfica ou um celular no bolso, prontos para capturar a vida.

Nossos filhos nunca foram tão registrados, gravados, arquivados, tuitados, *facebookados*. Começamos a ver o mundo através de um mediador, uma tela de poucas polegadas que grava, mas não sente. Registramos no intuito de postar, isto é, não vivemos verdadeiramente o que captamos, queremos capturar para os outros verem. Com isso, não nos damos conta da nossa cegueira infligida. Preocupamo-nos com o foco, o som, o enquadramento, o *zoom*... não com o sujeito que está sendo registrado.

Sim, tenho máquina digital, celular que tira fotos, mas sempre procuro me controlar quando experimento emoções na minha vida, a fim de não sair capturando imagens. Quero aproveitar a sensação de ver minhas filhas dançando nas festas juninas, quero usar meus olhos para ver um pôr do sol multicolorido no rio Negro! Por que capturar tudo? Por que não deixar buracos no registro que fazemos dos nossos filhos? Por que temos de inundá-los com memórias digitais? O esquecimento é uma dádiva divina, é tão importante esquecer como lembrar. Nossa sociedade é paradoxal, quer se lembrar de tudo filmando tudo, ao mesmo tempo se esquece de coisas fundamentais: brincar com os filhos, sensibilizar-se com as injustiças, brigar por um mundo menos violento etc.

Há alguns anos, visitando a igreja de São Marcos, em Veneza, descobri no teto uma sequência de pinturas contando a história bíblica de José e seu manto colorido. Fiquei fascinado com aquilo, as pinturas colocavam roupas medievais nessa antiga história do Velho Testamento. Chamei minha esposa para compartilhar a descoberta e comecei a contar a ela a história daquele homem que acreditava como ninguém no poder dos sonhos. Depois de alguns instantes, um pequeno grupo se juntou a nós, observavam que eu apontava para o teto e falava. Não deu outra, miraram suas máquinas, começaram a disparar *flashes* e foram embora. Sempre tive curiosidade de saber o que aquelas pessoas falariam quando vissem essas fotos nos seus computadores.

Da próxima vez que seus filhos estiverem realizando algo que toque você, que emocione, filme um pouco, mas deixe um bom tempo para seus olhos, seu corpo inteiro apreciar a maravilha da experiência real, memorize-a na retina, grave no coração. Posso afirmar que não há tecnologia na face da Terra que transmita o que o você acaba de capturar verdadeiramente.

# Espelho, espelho meu...

Um grande número de pessoas já ouviu falar do mito de Narciso. Ao nascer, lindo como o sol, a mãe foi se consultar com um famoso adivinho, que disse que ela deveria evitar a qualquer custo que Narciso visse a própria imagem. Caso isso ocorresse, a morte o espreitaria.

Cesifo, mãe de Narciso, correu para casa e começou a quebrar todos os espelhos que via pela frente. Além disso, ordenou aos empregados que afastassem qualquer possibilidade futura de o menino ver o próprio reflexo.

Narciso cresceu cada vez mais lindo, irresistível aos olhares femininos. Porém a missão da mãe de afastar o filho dos espelhos era impossível. Quando ele entrou na adolescência, viu seu reflexo na superfície de um lago. O espanto foi tamanho com a própria beleza que Narciso ficou petrificado, apaixonadíssimo por sua imagem. Os deuses, então, decidiram transformá-lo numa flor amarela de pétalas brancas, a flor de Narciso.

Fico imaginando se Narciso houvesse nascido nos dias atuais. Ele causaria um estrago com um *smartphone* a tiracolo. Imaginem a quantidade de fotos de si mesmo que postaria no Instagram e no Facebook... E os comentários: "Não é o mais belo?"; "Perceberam que fiz a sobrancelha?"; "Repararam no branqueamento dos meus dentes?".

Brincadeiras à parte, creio que Narciso renasceu entre nós. Vejo com certa preocupação a forma como, principalmente meninas a partir de oito, nove anos, têm postado fotos no Instagram e no Facebook. Conversando com amigos e conhecidos, todos confirmam essa constatação, o excesso de postagens de autorretratos nas redes sociais.

Segundo Freud, narcisismo é quando o "sujeito começa por tomar a si mesmo, ao seu próprio corpo, como objeto de amor". Lacan, outro famoso psicanalista, chamava isso de fase do espelho. O narcisismo é uma marca forte da primeira infância, na qual não há distinção entre "eu" e o "outro". Quebrar essa premissa é fundamental para o amadurecimento do sujeito.

Vivemos num mundo virtual completamente narcisista. As crianças (e os adultos também!) têm usado esse recurso como um grande espelho público. É como se, ao acordarmos de manhã, entrássemos no banheiro e, enquanto estivéssemos nos observando, uma multidão acompanhasse todo o processo.

Isso pode nos ajudar a compreender um pouco sobre a reclamação constante que tenho ouvido de muitos pais e educadores nos últimos tempos: a imaturidade emocional exacerbada de crianças e adolescentes. Se alguém fica constantemente no espelho virtual, fascinado com a própria imagem, não consegue enxergar o mundo à sua volta, pensa que tudo gira ao seu redor. Isso tem um nome, egocentrismo, característica de crianças bem pequenas fundamentalmente.

Maturidade significa, entre outras coisas, reconhecer a existência de outros que são diferentes. O reconhecimento do outro faz com que paremos de investir tanta energia na nossa imagem e comecemos a buscar beleza em relações humanas reais e concretas.

# Toda a minha vida está aqui

Dizem os pesquisadores que o universo surgiu há bilhões de anos. O famoso *Big Bang* teria feito pipocar galáxias, planetas, estrelas etc. A Terra teria nascido desse contexto explosivo – foram bilhões de anos de transformação intensa, movimentos inimagináveis da crosta terrestre, calores infernais e resfriamentos glaciais.

Quando houve certa pacificação dos humores do nosso planeta, dizem que a vida começou a pôr suas asinhas de fora. Um dos grandes pesquisadores desse momento foi o bioquímico russo Aleksandr Oparin, que, nos anos 1930, postulou a teoria mais conhecida entre os estudantes que se preparam para o vestibular. O cientista russo falou da famosa sopa de proteínas que teria dado origem à vida, explicando o surgimento dos seres vivos a partir dos aminoácidos. A atmosfera da Terra, naquela época, seria composta por metano, amônia, hidrogênio e vapor d'água. Isso tudo, junto com temperaturas altíssimas, radiação ultravioleta e milhões de descargas elétricas, formou o ambiente ideal para o aparecimento das primeiras moléculas, células, bactérias etc. Pesquisas atuais contestam essa teoria da sopa de proteínas e seguem outras hipóteses químicas e biológicas, mas todas traçam uma linha de evolução de seres vivos dos mais simples aos mais complexos. Dessa complexidade, teria surgido o homem, que começou sua trajetória revolucionária na Terra.

Os primeiros homens teriam surgido na savana africana e começado seu deslocamento pela península arábica – dali, teriam se espalhado por todos os continentes. A inteligência humana criou a agricultura, civilizações poderosíssimas que floresceram e murcharam, ciência, arte, culinária, costumes, leis, religiões. A história da vida humana é complexa e profunda. Você pode estar se perguntando: o que isso tem a ver com os assuntos que este autor escreve?

Na verdade, todo esse prefácio sobre o surgimento do Universo e da vida na Terra veio à minha cabeça quando um amigo, num momento de desespero com o sumiço do seu *smartphone*, disse ansioso: "Minha vida toda estava naquele aparelho!". Retruquei: "Sua vida inteira está num celular? Quer dizer que você perdeu a sua vida?". Ele riu e começamos a conversar sobre o que é a vida, seu surgimento e desaparecimento.

Muitas pessoas me contam que já ouviram e também usam a expressão "minha vida toda está aqui", referindo-se a *smartphones*. Fico refletindo como isso pode ser verdade. É claro que esses aparelhos guardam informações importantes, datas, telefones, fotos, relatórios de trabalho, colunas de revistas etc., mas isso representa toda a nossa vida?

As crianças estão aderindo rapidamente a esses aparelhos. É nossa função como adultos dizer a elas que a vida não está presa nesses dispositivos. A vida é muito, muito maior do que qualquer aparelho tecnológico. Do *Big Bang* ao nascimento e desenvolvimento de um ser humano, há muito mais mistérios e deslumbramentos do que a nossa vã tecnologia imagina. Boa vida para todos.

# A rede

Fazendo uma pequena pesquisa na internet, encontrei uma enxurrada de informações sobre os tipos de redes que os homens criaram para pescar. Algumas delas são: redes de arrasto, que têm forma de saco e são puxadas numa certa velocidade pelos pescadores; redes de emalhar, em que os peixes ficam presos pela própria movimentação; tarrafas, redes que vemos os pescadores jogando à beira do mar, que têm pesos ao redor, boas para pegar cardumes.

Na atualidade, estamos sendo pescados. Sim, somos os peixes dessa história (incluindo nossas ovas, opa... filhos), pescados por diferentes redes. Na nossa rotina oceânica, somos fisgados das mais diferentes formas. Os anzóis são de tamanho e peso diferentes, as iscas, cada vez mais coloridas e hipnóticas. Os pescadores brigam para ver quem consegue o maior cardume. Até tentamos ser um marlim azul de vez em quando, aquele peixe com uma "espada" na ponta do nariz que luta por horas a fio com o pescador, mas que, quando o pescador é bom, acaba sendo içado ao barco e abatido com uma martelada na cabeça. As redes sociais nos fisgaram – precisamos admitir isso para poder refletir sobre seu uso e suas consequências, principalmente para o futuro dos nossos filhos.

De quantas redes sociais você faz parte? Facebook, Twitter, Instagram, LinkedIn, Tinder, WhatsApp, Foursquare... ufa! Quanto tempo perdemos acessando essas redes? Elas trazem bem-estar ou ansiedade à nossa mente? Quantos amigos reais nos deram? Com certeza, ajudam-nos nas questões cotidianas: trânsito, troca de mensagens rápidas e gratuitas, busca de emprego, paqueras, compartilhamento de imagens e informações etc. Porém é fundamental colocar na balança os benefícios e malefícios dessas novas tecnologias – as pesquisas a respeito do impacto delas no mundo.

Uma dessas pesquisas chamou a minha atenção. Realizado pelo cientista, médico e sociólogo Nicholas Christakis, da Universidade Yale, nos Estados Unidos, o estudo afirma que

> os laços sociais influenciam mais do que a internet. A conexão profunda é com outra pessoa. As redes *on-line* são boas para disseminar informação, mas, se um amigo seu decide ir para a rua, é mais provável que você queira segui-lo. A mídia *on-line* não é tão eficiente em mudar comportamentos.

O pesquisador americano diz que um grande amigo tem mais poder de influência do que as redes sociais. A questão é como sair do cardume e navegar nas profundezas oceânicas para encontrar um grande amigo. Dentro dos cardumes, sentimo-nos mais seguros, ao mesmo tempo, ficamos mais vulneráveis às redes e suas iscas hipnóticas – talvez tenham de aprender e ensinar também aos nossos filhos que nem tudo o que reluz é ouro. Quando oferecemos a eles escolher entre ficar nas redes sociais ou encontrar pessoas e lugares reais, quase sempre escolherão o calor da pele humana, e não o calor da bateria de lítio de um dispositivo eletrônico qualquer.

# Solidão

Outro dia, li um artigo no jornal que me deixou curioso: "A maioria das pessoas tem dificuldade de ficar a sós com seus pensamentos, diz estudo". É uma pesquisa levada a cabo por um psicólogo da Universidade de Virginia, nos Estados Unidos. Antes de começar o levantamento, o pesquisador imaginava que as pessoas poderiam usar os momentos solitários (e eram propostos poucos minutos de solidão!) para resgatar da memória lembranças felizes e agradáveis. O psicólogo desafiou seu grupo de estudo a ficar 15 minutos sem a companhia de ninguém, e os resultados foram os seguintes: 57% dos entrevistados afirmaram que não conseguiam se concentrar nessa pequena solidão; 89% disseram que a mente deles viajou; 49% não gostaram do experimento. O mais incrível vem agora: 67% dos homens e 25% das mulheres disseram que preferiam levar choques a ficar sozinhos!

Olhando para o passado, consigo observar que o medo da solidão é tão antigo quanto o próprio homem. O filósofo francês Blaise Pascal (1623-1662), que abandonou a vida laica para se dedicar, na solidão monástica, a seus *Pensamentos* (nome de seu livro mais famoso), já falava da necessidade dos jovens de procurar sempre o barulho, o agito, a correria da vida, a fim de não precisar entrar em contato com seus pensamentos, porque, se assim o fizessem, ficariam diante de limitações e angústias. Já Machado de Assis (1839-1908), no conto "Teoria do medalhão", desenvolve um diálogo entre pai e filho no qual o genitor diz ao descendente para não andar nas ruas desacompanhado, porque a "solidão é oficina de ideias". O pai, nesse conto, queria criar um filho medíocre, fórmula para uma vida ordeira e tranquila.

Parece que as tecnologias resolveram o problema da sensação de solidão que sempre habitou a alma humana. O problema está nessa ilusão da eterna companhia de outro:

fingimos que temos muitos amigos, fingimos que estamos muito felizes, fingimos que gostamos de tudo e de todos. De tanto fingir, acabamos aumentando nossa percepção da solidão. O mundo infantil sempre lidou melhor com momentos solitários. As crianças sabem usar a mente como ninguém quando estão sozinhas – criam castelos no ar, viajam a lugares distantes, inventam mundos paralelos em microssegundos. Precisamos prestar atenção se não estamos projetando nas crianças o nosso medo atávico da solidão, já que o tempo inteiro queremos oferecer a elas uma distração para a mente. Talvez devêssemos proporcionar mais momentos de silêncio e calmaria aos nossos filhos, para que possam escutar as próprias ideias e, com elas, transformar o mundo ao seu redor.

# O que é isso, pai?

Estava no meu escritório, preparando material para uma palestra que daria no dia seguinte, um encontro em que queria falar sobre o envelhecimento precoce das ferramentas tecnológicas. Para isso, organizei duas caixas, uma com livros antigos e novos e outra com aparelhagens e objetos que fui resgatando no meu escritório: disquetes rígidos, bipe, máquina fotográfica de 1.2 *megapixel*. Quando estava colocando meu antigo *walkman* e uma fita cassete na caixa, a porta do escritório se abriu e minha filha de sete anos perguntou: "O que é isso, pai?".

Ela ficou maravilhada com o *walkman* e a fita, e queria porque queria ouvir o som daquilo. Primeira sensação básica: estamos envelhecendo, nossos filhos não conhecem objetos que faziam parte do nosso cotidiano e que eram, à época, tecnologia de ponta! Fui tentar colocar a fita, não funcionou. Tentei achar outro aparelho que fizesse o arquivo musical ser reproduzido, sem sucesso também. Segunda sensação, frustração. Não poder reproduzir arquivos porque os suportes estão obsoletos.

Minha filha não desistiu, olhou o disquete rígido, pediu explicação e queria ver onde colocava. Novamente, não encontrei nos meus computadores de mesa e portátil um buraco para colocar o disquete. A reflexão que faria no dia seguinte na minha palestra já acontecia previamente na minha casa.

Você pode, neste instante, estar lendo essas minhas mal traçadas linhas no seu *tablet*, mas, sinto muito informar, daqui a dois anos (estou sendo generoso), você achará tal maravilhosa engenhoca obsoleta. Tenho acompanhado amigos angustiados, de verdade, com o lançamento do mais novo iPad, mais fino, câmeras etc. E agora? O que fazer com o antigo, de um ano atrás?

Que tecnologia é essa que cria suportes tão efêmeros que já não conseguem reproduzir conteúdos de outros suportes? Que tecnologia é essa que, em vez de criar facilidades, aprisiona-nos num redemoinho de ansiedade por comprar sempre a última novidade e que, depois de poucos meses (daqui a pouco, serão dias), já nos faz sentir como se fôssemos neandertais tecnológicos, obrigando-nos a adquirir novamente o novo?

Minha filha então olhou para a outra caixa, curiosa como ela só queria saber o que tinha dentro. Na caixa anterior, precisou de legendas do pai para compreender o que era tudo aquilo. Abri a segunda caixa, tirei um livro de 1930 e mostrei a ela: "Ah, pai, isso é fácil, é um livro, né? Do que ele fala?".

Isso, sim, é alta tecnologia! Um suporte que consegue manter seu conteúdo intacto por décadas, séculos e até, em raros casos, milênios, e que uma criança de sete anos do século XXI identifica e pode decifrar, sem a necessidade de baixar a última versão.

Umberto Eco, intelectual italiano, disse que o martelo, a roda e a tesoura, uma vez inventados, não necessitavam mais de aprimoramento. Eram objetos perfeitos, que podiam ser mais embelezados, mas sua função e utilidade sempre seriam de última geração: bater prego, deslocar objetos e pessoas e cortar coisas. Eco coloca o livro nessa mesma perspectiva.

## 20 COISAS
para uma criança ser feliz

1. Ter sido desejada pelos pais.
2. Caso não tenha sido desejada, ter conquistado o coração deles após o nascimento.
3. Carinho é uma pomada protetora poderosa.
4. Alimentação saudável (mas uma tranqueira de vez em quando não mata ninguém).
5. Ambiente minimamente limpo, mas sem neuras demais.
6. Muitas histórias contadas e lidas.
7. Muitas músicas, por toda a vida.
8. Muitas brincadeiras, porque brincar é a profissão da infância.
9. Dormir junto é uma delícia, mas ensinar a dormir sozinho é fundamental.
10. Ensinar noções básicas de higiene enquanto ela ainda é pequena. Esse aprendizado ficará para a vida toda.
11. Aprender a se sujar de vez em quando é imprescindível.
12. Ensinar a nadar é obrigação! Sempre pode haver água por perto.

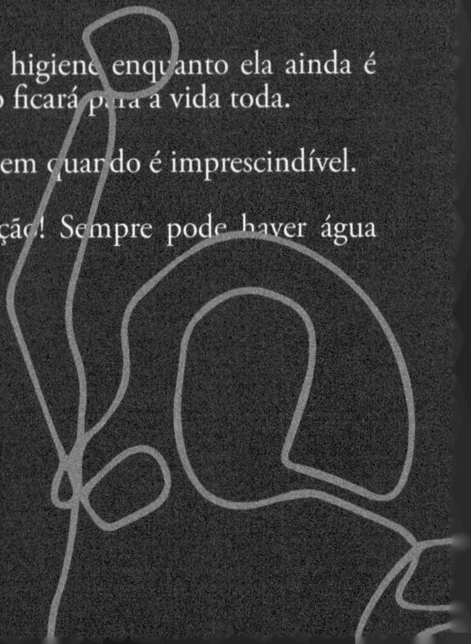

**13.** Ensinar a respeitar o próximo é uma tarefa árdua e permanente. Seremos sempre os modelos que ela imitará. Portanto, atenção!

**14.** Ouvir a palavra "não" é fundamental para nortear o futuro dela.

**15.** Quanto mais conhecer outras realidades e culturas, mais preparada estará para enfrentar a vida.

**16.** Não permitir que ela seja abduzida pelos dispositivos eletrônicos. Deixar a criança usá-los com parcimônia. Lembrar que nada substitui o encontro real entre filhos e pais.

**17.** Incentivar a curiosidade infantil.

**18.** Saber ser firme, mas não ditatorial.

**19.** Entender que a ouvir não é lhe obedecer.

**20.** Rir muito com ela. Isso ficará para sempre na memória. Se ela chorar (e sempre chora!), a criança deve saber que os pais sempre estarão ao lado dela.

**Especificações técnicas**

Fonte: Adobe Garamond Pro 12 p
Entrelinha: 13 p
Papel (miolo): Offset 75 g/m²
Papel (capa): Cartão 250 g/m2